この本はお人形服作りの基本を解説しながら
ほんの少しステップアップしたアレンジ方法＝応用を
学べるように作りました。
大好きなお人形にあなたの手作りのお洋服を
たくさんプレゼントしてあげてください。

CONTENTS

P22 　第1番 Tシャツ
P34 　第2番 シャツワンピース
P46 　第3番 パーカー
P56 　第4番 デニムパンツ
P64 　第5番 ピーコート

P04 　本書の特徴
P05 　生地選びのポイント
P06 　フィッティングルーム
P20 　道具と資材
P33 　アレンジしようよ！①スタンプ
P45 　テクニック① 糸ループ
P55 　テクニック② あきの処理
P63 　アレンジしようよ！② ダメージ加工
P74 　テクニック③ プチブライス
P77 　テクニック④
　　　ニッキのしっぽ／ユノアクルス
P78 　For The Other Dolls
P80 　著者紹介

本書の特徴

アイテム別に基本の作り方の工程を詳しく解説しています。
巻末の別紙に11cm、20cm、22cm、27cm、42cmの
5サイズ分の型紙を収録しています。

＜基本編と応用編＞
◆基本編では、基本のアイテムを作ることで、まず作り方をひととおりマスターします
◆応用編では襟、袖、身頃などの別パーツの作り方を説明しています

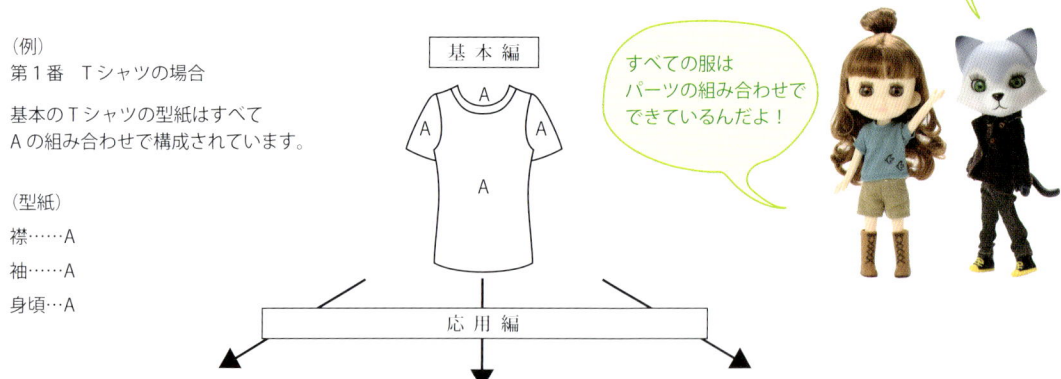

（例）
第1番　Tシャツの場合

基本のTシャツの型紙はすべて
Aの組み合わせで構成されています。

（型紙）
襟……A
袖……A
身頃…A

アレンジ例①

身頃はAのままで襟はハイネック
袖は長袖をチョイス！

（型紙）
襟……B
袖……B
身頃…A

アレンジ例②

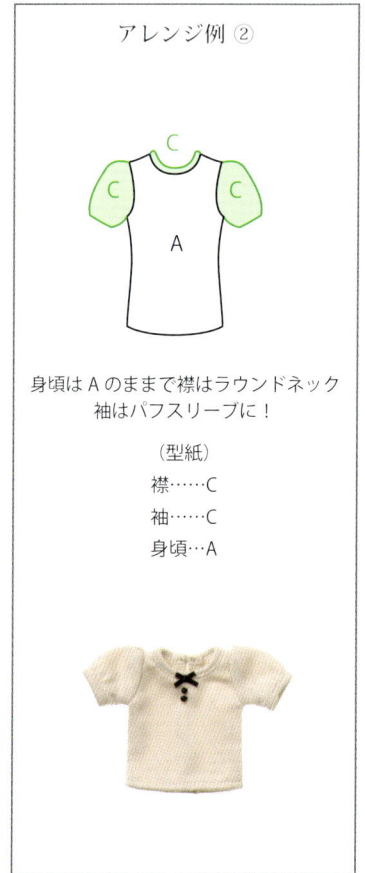

身頃はAのままで襟はラウンドネック
袖はパフスリーブに！

（型紙）
襟……C
袖……C
身頃…A

アレンジ例③

身頃はロング丈、襟はハイネック
スカートをON！

（型紙）
襟……B
袖……B（七分袖にアレンジ）
身頃…B
スカート…型紙未掲載、自由制作

アレンジ例はあくまで一例です。型紙パーツを自由に組み替えて、ステキなお洋服をどんどん作りましょう！
※本書に掲載されている型紙は、お買い求め頂いたみなさまに個人で作って楽しんで頂くためのものです。巻末の注意事項もご覧ください

Odeco&Nikki ™ ©PetWORKs Co.,Ltd. deconiki.jp

生地選びのポイント

生地を変えて作ればバリエーションはさらにアップ！
このページではアイテム別に生地選びのポイントを紹介します。

第1番 Tシャツ (P22)

◆生地は薄すぎない天竺ニットがお勧め。薄すぎる生地は端が丸まり、とても縫いにくいのです。◆ハイネックカットソーなどを作る時はリブニットやウールの入ったニット地などを使うと違う表情になります。◆スカートを付けてワンピースにする場合はコットンの柄生地やチュール生地もよいでしょう。◆ニット地は伸びやすく縫いづらいので、生地の下に紙を敷いて縫いましょう◆

第2番 シャツワンピース (P34)

◆綿ブロード程度の薄さの生地がお勧めです。少し厚くなりますが、ダンガリー等で作ってもかわいいです。◆色々な柄で作ったり、後ろヨーク部分の裁ち方向を変えてみたり、前あきの短冊やカフス部分の生地を変えたりと様々なアレンジが楽しめます。◆レースやリボンで飾ればガーリーな雰囲気になります◆

第3番 パーカー (P46)

◆Tシャツ用の天竺より少し厚めの天竺や綿ジャージがお勧めです。冬ものなら少し厚手のニット地やウール混のニット、夏もの(半袖)なら薄い天竺で作ってもよいでしょう。◆フードにファーを付ける時はあまり毛足の長くないファー生地を選びましょう。◆裏地を付ける時は、コットンの柄生地やフリースのような起毛している生地を合わせてもかわいいです◆

第4番 デニムパンツ (P56)

◆デニム生地は11cmは6オンス、20cmは6オンス〜8オンス、22cm〜42cm用は8オンス程度の厚さをお勧めします。◆デニムにも綿のものや化繊の混じったものなど色々とあります。◆色の落ち具合も様々です。色を落とさないデニムを作る場合もボディに色が移るので、必ず裁断前に生地だけ洗って使用します。◆P63のようにダメージ加工したデニムもドールの材質によってはボディに色移りする可能性もあります。ご注意ください！◆また、デニム以外の生地で作れば全く違う雰囲気のボトムになります。アレンジ例ではコーデュロイ生地を使用しています◆

第5番 ピーコート (P64)

◆初心者の方にはハリのあるコットン生地(P12のブライス着用)がお勧め。襟や裾の角がきれいに出て縫いやすいです。◆ウールジョーゼット(P11のmomoko着用)やコーデュロイ(P6のニッキ着用)は冬らしい雰囲気が出ます。◆P9のユノアクルスが着用しているコートは少し厚手のネル生地で作っています。◆裏地には裏地用の生地はもちろん、柄物のコットン生地を使ってもよいでしょう。カラフルなストライプやチェックがお勧め。◆ファー襟のアレンジにはあまり毛足の長くない薄手のファー生地を使用しましょう◆

> ＜縫い線についての注意＞
> この本では型紙を生地に写す際に、基本的に縫い代線（外側の線）のみを写し、縫い線（内側の線）は写さない方法を採用しています。ミシンの押さえの目盛りを目安にして縫いましょう。縫い線が必要な方は、引いてから裁断してください。必要のない方も、印付けや線を引く工程では、その都度縫い線を引きながら進めてください。

モデル：momoko DOLL（Lacy Modernist）
Tシャツ（P22）、デニムパンツ（P56）

モデル：ユノアクルス（ルシス）

シャツワンピース（P34）
ピーコート（P64）
デニムパンツ（P56）

※ユノアクルス（ルシス）のお洋服
の作り方は P77 も参照ください

モデル：プチブライス
（シャーロットシャンピニオン＆フレンドリージラフ）
Tシャツ（P74）、ピーコート（P76）
デニムパンツ（P76）、パーカー（P75）

モデル：ブライス（ホワイトマジックアフタヌーン＆サンデーベスト）
Tシャツ(P22)、ピーコート(P64)、デニムパンツ(P56)、パーカー(P46)

モデル：momoko DOLL（宇宙のランデブー）
シャツワンピース(P34)、デニムパンツ(P56)

モデル：ユノアクルス（ルシス）
Tシャツ（P22）、パーカー（P46）、デニムパンツ（P56）
※ユノアクルス（ルシス）のお洋服の作り方はP77も参照ください

モデル:クレヨンのおでこちゃん&ぽんぽんぼうしのニッキ
シャツワンピース(P34)、デニムパンツ(P56)、Tシャツ(P22)
※ニッキのしっぽのポイントはP77も参照ください

モデル：momoko DOLL（避暑地のメヌエットカスタム）
Tシャツ（P22）、パーカー（P46）、デニムパンツ（P56）

モデル：ブライス（ボヘミアンビート）
Tシャツ（P22）、ピーコート（P64）

モデル：ブライス
（メリースキーヤー＆ラウンジングラブリー）

シャツワンピース（P34）、デニムパンツ（P56）
Tシャツ（P22）、パーカー（P64）

モデル：プチブライス
（ホー！ホー！ホー！＆ピヨピヨメッセンジャー）

シャツワンピース（P74）、Tシャツ（P74）
パーカー（P75）、デニムパンツ（P76）

BLYTHE is a Trademark of Hasbro.©2010 Hasbro. All Rights Reserved.
BLYTHE character rights are licensed in Asia to Cross World Connections,Ltd.
Licensed by Hasbro. www.blythedoll.com(PC site) blythemobile.com(mobile site)

道具と資材
TOOLS

型紙を写す時はフェルトマット、裏に返す時は鉗子があると便利だよ

① ミシン
家庭用や職業用ミシン等、用途に合ったものを選びましょう。職業用は直線縫い専用なのでジグザグ縫いや飾りステッチを使いたい場合は家庭用をお勧めします。

② アイロン
家庭用のものが一台あれば十分です。アイロン台は堅めのものが使いやすいと思います。

③ 方眼定規
写し取った型紙に縫い代線を引いたりする時やパーツの寸法を測るときに便利です。

④ ハサミ類
紙切り用、裁ちばさみ、小ばさみの3種類あると便利です。

⑤ 布用ボンド
布専用のボンドをお勧めします。手芸用でも変色したり、硬くなったりするものもあるので注意しましょう。

⑥ ほつれ止め液
布端のほつれ止めに使用します。

⑦ 糸類
ミシン用糸、手縫い用糸の2種類を用意します。

⑧ ロータリーカッター
薄い生地を直線に裁つ時や重ねて裁つ時などに便利です。

⑨ チャコペン
ペンタイプのものをお勧めします。水やアイロンで消えるタイプが便利です。

⑩ 針類
縫い針、マチ針、毛糸用のとじ針(ゴムや紐を通す時に使用します)。

⑪ 目打ち
先の丸くなっているタイプがお勧めです。角を出す時などに使用します。

⑫ リッパー
誤って縫ってしまった時など、糸をほどく時に使用します。

Odeco&Nikki ™ ©PetWORKs Co.,Ltd. deconiki.jp

PARTS

ドール用資材はいろいろあるよ！

① スナップボタン
5mm を使用します。

② スプリングホック
NO.0 サイズを使用します。

③ ホットフィット
アイロンで接着できるメタルパーツです。デニムやTシャツなどの装飾に。色々なタイプがあるので好みのものを選びましょう。

④ ミニファスナー
ドール用によく使う小さなファスナーです。

⑤ ボタン類
左から 6mm、5mm、4mm、足のあるタイプです。ドールのサイズに合わせて選びましょう。

⑥ バックル類
色々な形、大きさがあるので用途によって選びましょう。時計のバックル等でも代用できます。

⑦ レース類
1/6 サイズには 0.5 〜 1.0cm 位の細いものをよく使用します。

⑧ リボン類
1/6 サイズには 1.5 〜 3.0mm 位の細いものがお勧めです。

⑨ ビーズ類
ボタンの代わりに使用したり、後ろあきの留め具に使用したり、装飾に使用したりします。色々なタイプのものがあるのでデザインに合ったものを選びましょう。

※ドール専用の資材は一般の手芸店では手に入りづらいものが多いです。インターネット通販等で購入できます。

● 基本のTシャツ ●

<基本用尺：22cm／ブライス用>
ニット生地……15cm×21cm
3mmビーズ（後ろあき用）……1個

● アレンジ例 ●

◆ハイネック（襟B）
◆長袖（袖B）

◆ラウンドネック（襟C）
◆パフスリーブ（袖C＋袖口リブ）

◆ロング丈（身頃B）

◆ハイネック（襟B）
◆七分袖（袖Bをアレンジ）
◆ワンピース（身頃B＋スカート任意）

Tシャツの作り方
基本編

基本編は型紙Aを使用します。

1. 生地を裁断します。必要な場合は縫い線を引いておきましょう。

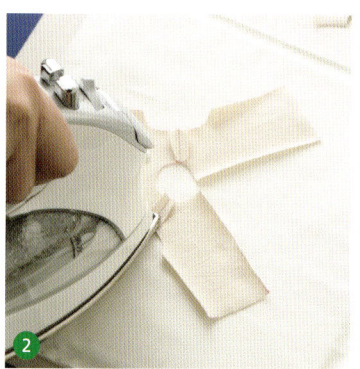

2. 前後身頃の肩を中表に縫い合わせ、縫い代を開き、アイロンで押さえます。

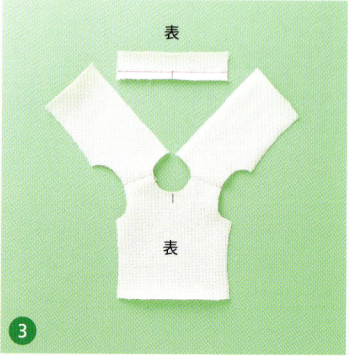

3. 前身頃襟ぐりの中心と襟ぐりリブの表側に中心の印を付け、縫い線を引いておきます。

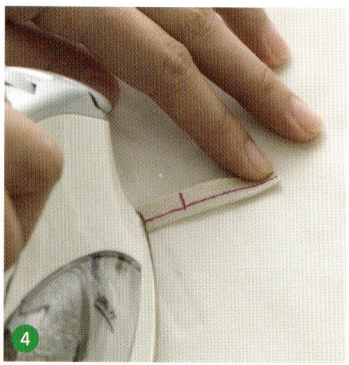

4. 襟ぐりリブを半分に折り、アイロンでしっかりと折り目を付けます。

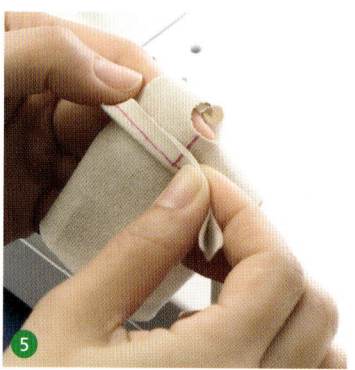

5. 前身頃襟ぐり中心とリブの中心を合わせ、マチ針でとめます。

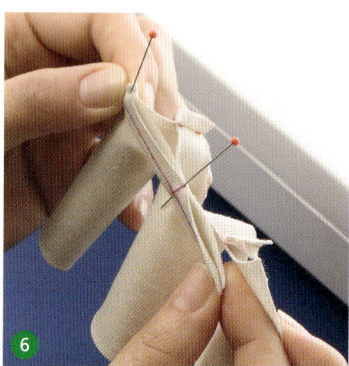

6. 後ろ身頃襟ぐりの両端もマチ針でとめます。

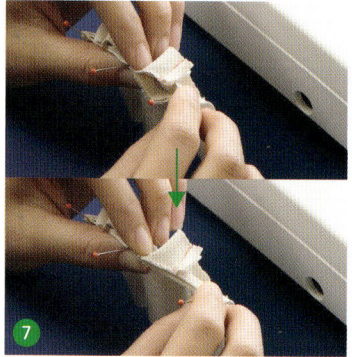

7. 身頃襟ぐりよりリブの方が短いので身頃襟ぐりが余った状態になっています。リブをギュッと引っ張り、襟ぐりと同じ長さにして肩中心をマチ針でとめつけます。

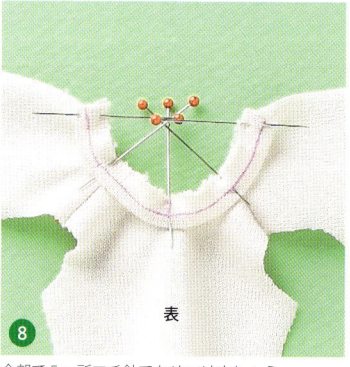

8. 全部で5ヶ所マチ針でとめつけましょう。

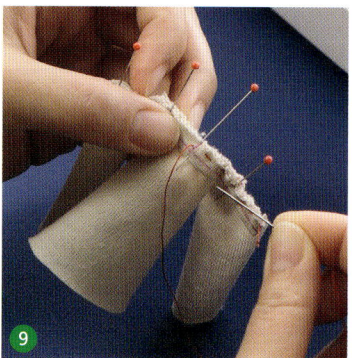

9. 端から縫い代の内側をしつけていきます。

BLYTHE is a Trademark of Hasbro.©2010 Hasbro. All Rights Reserved.
BLYTHE character rights are licensed in Asia to Cross World Connections,Ltd.
Licensed by Hasbro. www.blythedoll.com(PC site) blythemobile.com(mobile site)

こまめにアイロンをかけて
きれいに仕上げてね！

⑩ 身頃とリブがずれないようにしっかりとしつけをかけます。

⑪ 表を上にして縫い線の上をずれないようにミシンで縫い進めます。身頃側の余計な部分を縫ってしまわないよう、身頃を引っ張るように逃がしながら少しずつ縫い進めましょう。

⑫ リブがつきました。

<襟ぐりの縫い代の開き方>

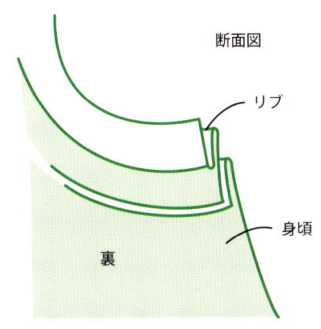

襟ぐりの縫い代は3枚重なっていますが、リブの縫い代を1枚上へ、もう1枚と身頃側の縫い代を下へ向けて開き、アイロンでプレスします。

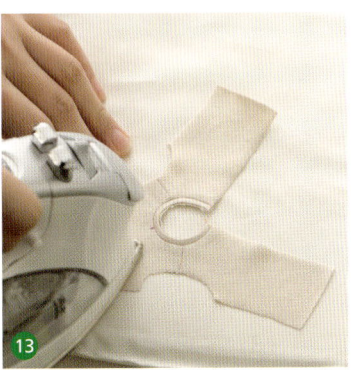

⑬ 表からもしっかりプレスして襟が浮かないようにしましょう。

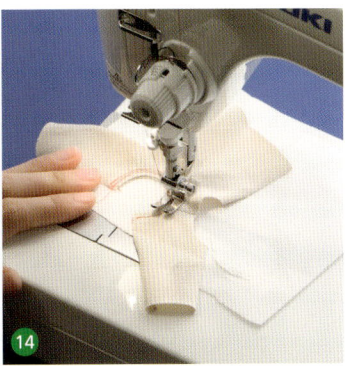

⑭ 襟ぐりの周りにステッチを入れます。リブ側、身頃側に計2本ステッチを入れます。

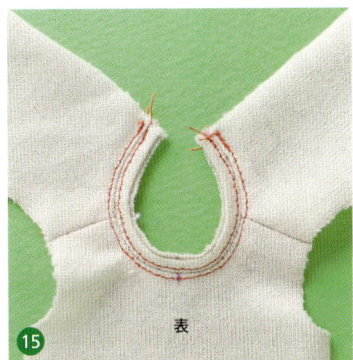

⑮ ステッチが入りました。

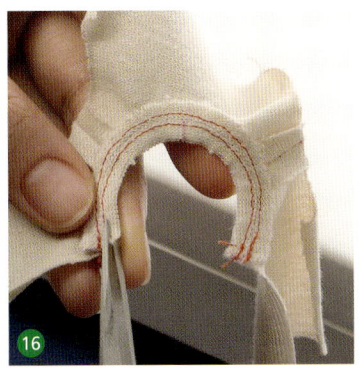

⑯ 開いた縫い代が襟の上からはみ出してしまっているので、縫い代を半分ほどカットします。

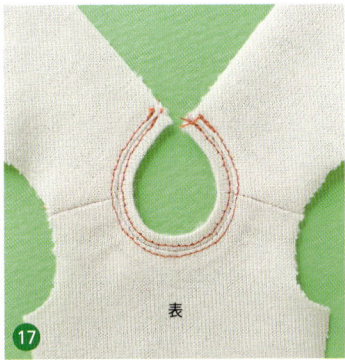

⑰ 上からはみ出ている部分がないようにきれいにカットします。あまり短くカットしてしまうとステッチが外れてしまうので注意しましょう。

⑱ 後ろあきにあき止まりの印を付け、印の少し下まで折り込んでボンドで貼り付けます。

⑲ 後ろあきをミシンでステッチします。

⑳ 袖山の中心に印を付け、袖口を折り返してボンドで貼り付け、ステッチします。
※袖と裾は2本ステッチを入れていますが難しい場合は1本でも問題ありません

㉑ 袖山の中心と身頃の肩中心を中表に合わせ、マチ針でとめておきます。

㉒ 端からしつけをかけます。

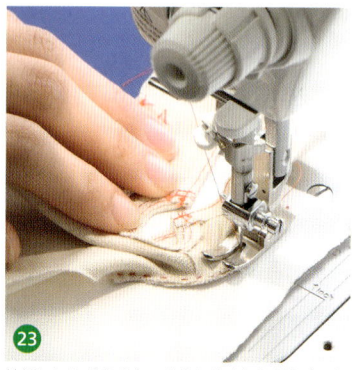

㉓ 袖側にしわが寄らないように注意しながら身頃側を表にしてミシンで縫い合わせます。
※ニット地のように伸びる生地の場合は身頃側を表にして袖を縫い付ける方がお勧めです

㉔ 両袖を付けたら縫い代を身頃側に倒し、アイロンでプレスします。

㉕ 袖～脇を中表に縫い合わせます。

㉖ 脇と袖の2ヶ所に切り込みを入れましょう。

BLYTHE is a Trademark of Hasbro.©2010 Hasbro. All Rights Reserved.
BLYTHE character rights are licensed in Asia to Cross World Connections,Ltd.
Licensed by Hasbro. www.blythedoll.com(PC site) blythemobile.com(mobile site)

㉗ 身頃を表に返し、裾を折り上げてボンドで貼り付け、表からミシンでステッチします。

㉘ 後ろ中心を中表に合わせ、上下がずれないようにマチ針で2ヶ所とめつけます。

㉙ 裾からあき止まりまでを縫い合わせます。

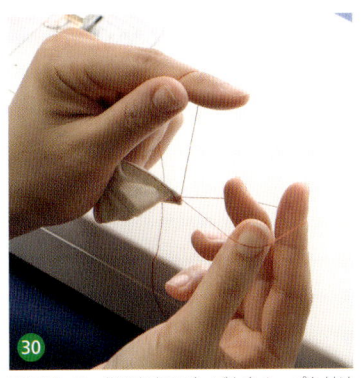

㉚ 表に返して、後ろあきにビーズと糸ループを付けます。
※糸ループの作り方はP45参照、後ろあきの処理についてはP55参照

たくさん作ってみてね

㉛ 完成！

応用編 ＜襟＞

ハイネック（型紙……襟B）

❶ 前身頃襟ぐりの中心、襟の表側の中心に印を付け、縫い線を引いておきます。

❷ Tシャツ基本編❺〜⓬と同じ要領で襟を縫い付け、縫い代に切り込みを入れます。

❸ 基本と同じように縫い代を開き、アイロンでプレスします。

▶▶▶ 基本編⓲へ続きます。

袖と襟を組み合わせていろいろなアレンジをしよう

ラウンドネック（型紙……襟C）

❶ 基本型紙の襟ぐり部分の縫い代をカットします。

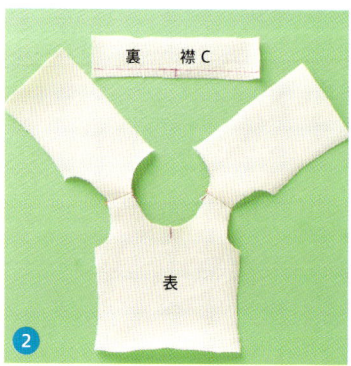

❷ 前身頃襟ぐりの中心、襟の裏側の中心に印を付け、縫い線を引いておきます。

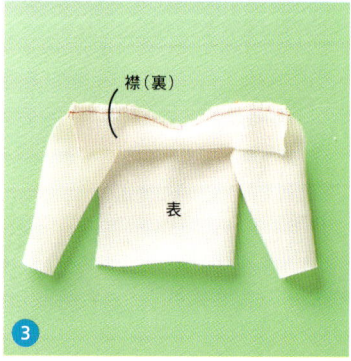

❸ Tシャツ基本編❺〜⓬と同じ要領で襟を縫い付けますが、襟は半分に折らず、裏側を上にして身頃と中表に合わせます。

BLYTHE is a Trademark of Hasbro.©2010 Hasbro. All Rights Reserved.
BLYTHE character rights are licensed in Asia to Cross World Connections,Ltd.
Licensed by Hasbro. www.blythedoll.com(PC site) blythemobile.com(mobile site)

④ 襟パーツの縫い代にボンドを塗り、襟パーツを上に倒して貼り合わせます。

⑤ 裏にして、身頃の襟ぐりの縫い代にボンドを塗り、襟パーツを縫い代をくるむように裏側に折り返して貼ります。

⑥ 貼りつけたところです。アイロンで裏と表からそれぞれプレスします。

⑦ ミシンでステッチする前に襟の幅を均等に整えましょう。

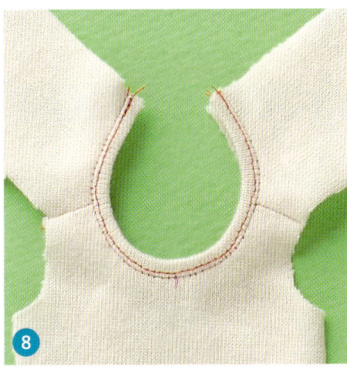

⑧ 襟パーツの端を表からミシンでステッチします。

⑨ 余った縫い代はカットしましょう。

⑩ カットしたところです。

⑪ 表からアイロンでプレスして整えます。

▶▶▶ 基本編 ⑱ へ続きます。

※襟パーツを縫い付けない場合

身頃襟ぐりの縫い代に切り込みを入れ、折り返してボンドで貼り付け、ミシンでステッチします。

応用編 ＜袖＞

パフスリーブ（型紙……袖C＋袖口リブ）

① 袖パーツに袖山中心とギャザーの印を入れておきます。

② 袖山と袖口にそれぞれギャザー用のステッチを2本ずつ入れておき、袖口のギャザーのみ先に寄せます（ギャザーは袖口リブの長さに合わせて寄せて下さい）。

③ 袖口にリブを縫い付けます。

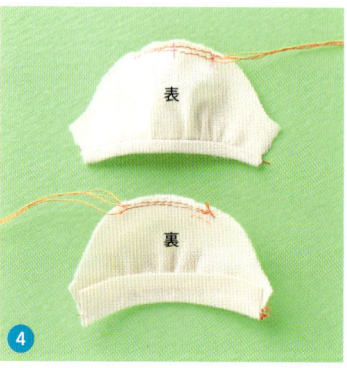

④ Tシャツ応用編のラウンドネックの工程❹〜❼と同じ要領でリブをボンドで貼り付けます。

⑤ 袖口リブの端を表からステッチして、余った縫い代はカットします。

⑥ 表から見たところです。

⑦ 袖山のギャザーを寄せて糸を固定し、身頃と合わせてしつけをかけます。

⑧ ミシンで縫い合わせるときは袖側を表にして縫い合わせます。
※ニット地でもギャザーの寄っている袖山の場合は袖側を表にして縫い合わせます。縫い代は袖側に倒します

▶▶▶ 基本編 25 へ続きます。

ノースリーブ

1 身頃袖ぐりの縫い代に切り込みを入れ、折り返してボンドで貼り付け、ミシンでステッチします。

2 表から見たところです。

パフスリーブは女の子らしいデザインになるよ！

長袖、七分袖（型紙……袖B）

基本編と同じ工程で縫い進めます。
七分袖は長袖の型紙を好みの長さに調節して使用しましょう。

応用編 ＜身頃＞

ワンピース（型紙……身頃B＋スカート任意）

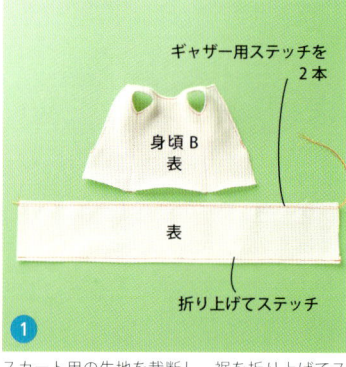

1 スカート用の生地を裁断し、裾を折り上げてステッチし、ウエスト部分にギャザー用のステッチを2本入れておきます。※スカートの寸法は身頃の裾寸法の倍ぐらいにすると丁度良い分量になります。裾は好みの長さにしましょう

2 身頃裾の長さに合わせてギャザーを寄せます。

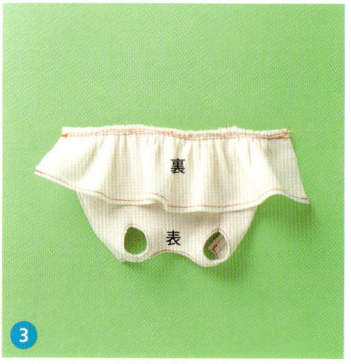

3 身頃とスカートを中表に縫い合わせ、縫い代を身頃側に倒し、アイロンでプレスします。

4 身頃裾をステッチで押さえ、後ろ中心を縫い合わせます。

5 表に返して、後ろあきにビーズと糸ループを付けます。
※糸ループの作り方は P45 参照、後ろあきの処理については P55 参照

いろいろな生地を組み合わせてみよう！

完成！

BLYTHE is a Trademark of Hasbro.©2010 Hasbro. All Rights Reserved.
BLYTHE character rights are licensed in Asia to Cross World Connections,Ltd.
Licensed by Hasbro. www.blythedoll.com(PC site) blythemobile.com(mobile site)

スタンプを押そう

プリントTシャツを作りたいけど、パソコンでデータを作ったりするのは大変！
市販のスタンプと布用のインクパッドで手軽にプリント風Tシャツを作ってみましょう。

裁断前の布にスタンプを押してからインクを定着させ、パターンを写します。
たくさんスタンプを押してみて、気に入ったところを使いましょう。

※布用のインクパッド製品の多くはアイロンでインクを定着させるタイプです。
　説明をしっかりと読んで正しく使用しましょう。

はんこ屋さんでオリジナル
デザインのスタンプを作れば
オリジナルTシャツも作れるよ！

いろいろ工夫して
かわいいTシャツを作ろうよ！

Odeco&Nikki™ ©PetWORKs Co.,Ltd. deconiki.jp

第 2 番　シャツワンピース

難易度　✿✿✿✿✿

● 基本のシャツワンピース ●

＜基本用尺：27cm ／ momoko DOLL 用＞
生地…… 30cm × 21cm
ドール用ボタン or ビーズ…… 好みの数
スナップボタン…… 1組

● アレンジ例 ●

◆ スタンドカラー（襟 C）
◆ パフスリーブ（袖 C ＋袖カフス）
◆ ブラウジング（身頃 B）

◆ スキッパーカラー（襟 D）
◆ ロールアップスリーブ
　（袖 A ＋袖ベルト）
◆ 裾スリット（身頃 B）

◆ 丸襟（襟 B）
◆ 長袖（袖 B ＋袖カフス）

シャツワンピースの作り方
基本編

基本編は型紙Aを使用します。

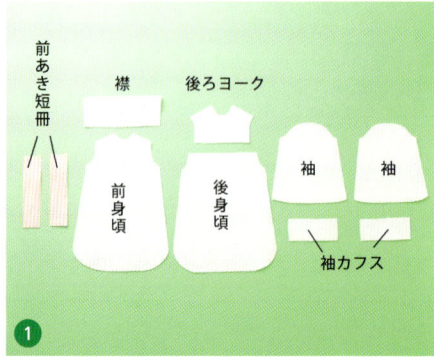

①
生地を裁断して前身頃中心に切り込みを入れます。布端にほつれ止め液を塗っておきましょう。襟は裁断する前に縫い合わせます。必要な場合は縫い線を引いておきましょう。

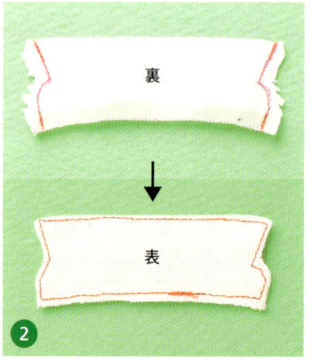

②
襟を縫い合わせ、裁断します。カーブに切り込みを入れ、角を切り落とします。表に返して形を整え、アイロンでプレスして周りをステッチします。

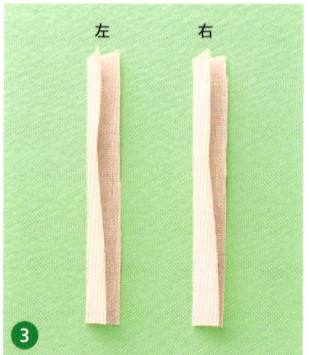

③
前あき短冊を半分に折ります。
※左右の表現はわかりやすいように作り手から向かって見た時の方向で説明しています

④
短冊は前身頃の切り込みの左右に縫い付けます。

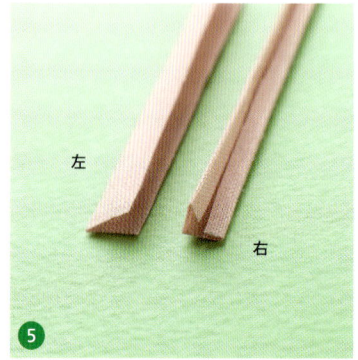

⑤
両端の縫い代を折り込みます。折り込む時に左右それぞれ下になる方の縫い代をほんの少しだけ少なく折り込みます。

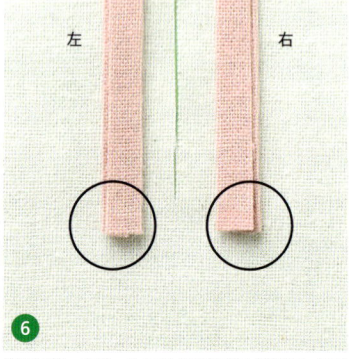

⑥
半分に折った時、下になる方の縫い代が少し出ています。折り込んだ縫い代はボンドで貼り付けます。

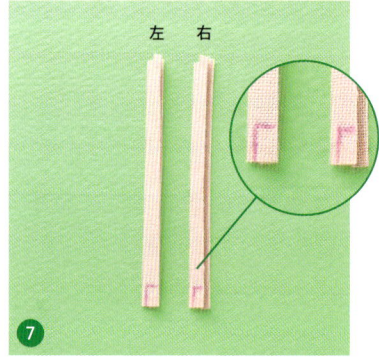

⑦
型紙を参照して切り落とす部分に印を付けます。左右とも向かって右側が開いている状態で印を付けます。方向を間違えないように注意しましょう。

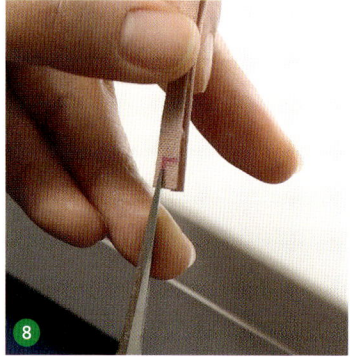

⑧
印を付けた部分を切り落とします。2枚重なっている方の上の1枚だけを切り落とします。

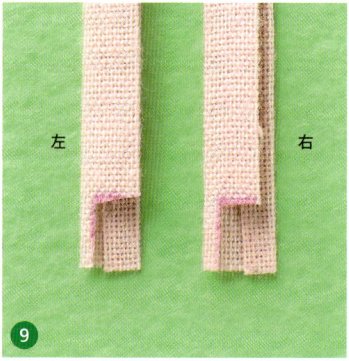

⑨
切り落としたところです。

短冊あきは少し難しいけど
チャレンジしてみましょう！

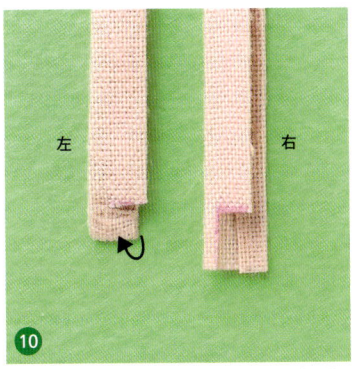

⑩ 左側の短冊だけ下の縫い代を折り込み、ボンドで貼り付けます。細かい作業なので慎重に進めましょう。

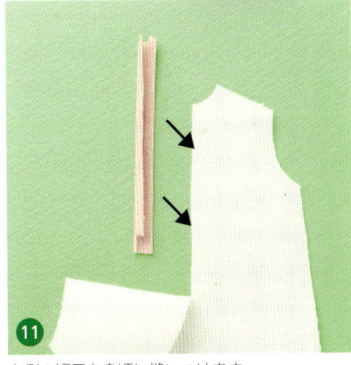

⑪ 右側の短冊を身頃に縫いつけます。

⑫ 身頃の切り込みをめくり、短冊の折り込んだ縫い代と切り込みの端が丁度重なる位置で合わせてボンドで貼り付けます。

⑬ 短冊を折り線通りに折り、こちらもボンドで貼り合わせます。

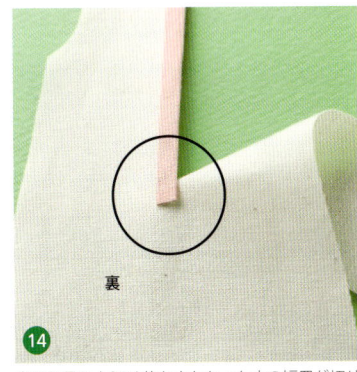

⑭ 裏から見ると切り落とさなかった方の短冊が切り込みの下に出ている状態になります。

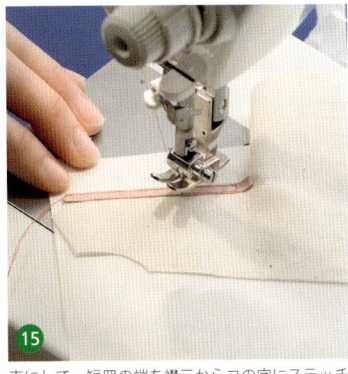

⑮ 表にして、短冊の端を襟元からコの字にステッチします。

⑯ ステッチしたところです。

⑰ 左側の短冊を縫い付けます。左側の短冊にはあき止まりの印を書いておきましょう。

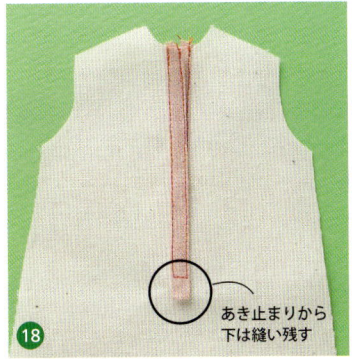

⑱ 右側と同じ要領で縫い付けますが、左側は切り落とさなかった方の短冊が表に出る形になります。右側の短冊をめくりながらあき止まりまでをコの字にステッチします。

37

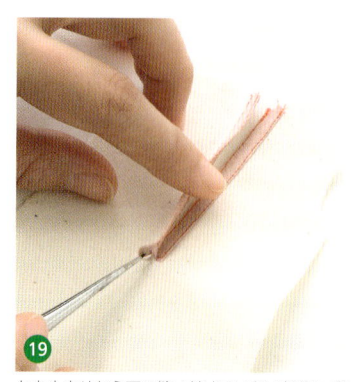

⑲ あき止まりから下の縫い付けていない部分にボンドを付け、身頃に貼り付けます。この時、右短冊とぴったり重なり合うようにします。

⑳ あき止まりから下を写真のようにステッチします。あき止まり部分はステッチが重なり合うのでずれないように注意しましょう。

㉑ きれいに重なり合った短冊あきになります。

㉒ 後ろ身頃にギャザーの印を付け、後ろヨークの長さに合わせてギャザーを寄せます。

㉓ 後ろ身頃とヨークを中表に縫い合わせ、ヨーク側に縫い代を倒し、表からステッチで押さえます。

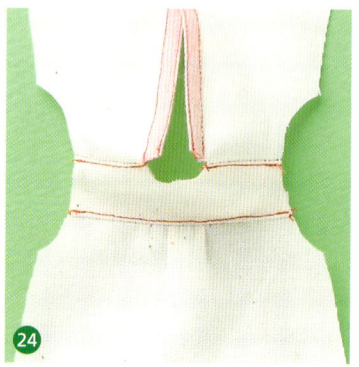

㉔ 後ろヨークと前身頃の肩を中表に縫い合わせ、縫い代をヨーク側に倒し、表からステッチで押さえます。

㉕ 後ろ身頃の襟ぐり中心と襟の中心に印を付け、中心を合わせてマチ針でとめます。

㉖ 短冊あきの端と襟の端を合わせてしつけをかけます。

㉗ ミシンで縫い合わせ、縫い代に切り込みを入れます。

㉘ 縫い代を身頃側に倒してアイロンでプレスします。

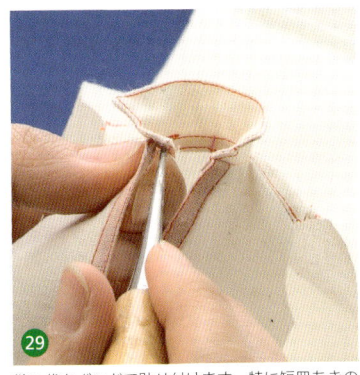

㉙ 縫い代をボンドで貼り付けます。特に短冊あきの端の部分は浮いていると目立つのでしっかりと貼り付けましょう。

㉚ 襟ぐりの周りをステッチで押さえます。

㉛ 襟が付きました。

㉜ 袖口カフスを半分に折り、片側の縫い代を中に折り込み、アイロンでプレスします。袖口にギャザー用のステッチを2本入れて、カフスの長さに合わせてギャザーを寄せます。

ギャザー用ステッチ2本
ギャザー寄せる

㉝ 折り込んでいない方のカフスの縫い代と袖口を中表に縫い合わせます。

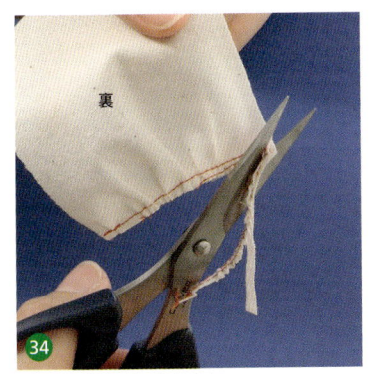

表

㉞ 縫い代を半分にカットします。

裏

㉟ 袖の裏側にカフスを折り込み、ボンドで貼り付けてステッチをかけます。

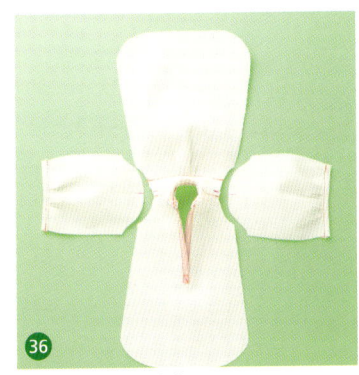

表

㊱ 袖を身頃に縫い付けます。

㊲ 袖山と身頃の肩中心に印を付けます。

㊳ 袖山をぐし縫いして軽く丸みを付けます（いせ込む）。この場合は袖を立体的にするのが目的ではなく、身頃に縫いつけやすくする為に丸みを付けます。

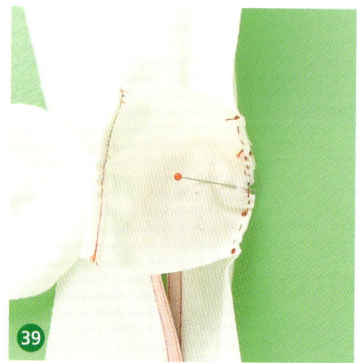

㊴ 袖山の中心と肩中心を合わせてマチ針でとめ、しつけをします。

㊵ 袖をミシンで縫い合わせ、縫い代に切り込みを入れて身頃側に倒し、アイロンでプレスしてステッチで押さえます。

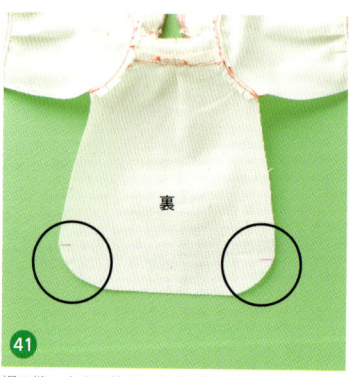

㊶ 裾の縫い止まり位置に印を付けます。

㊷ 裾のカーブをぐし縫いして縫い縮め、軽く丸みを付けます。

㊸ 丸みを付けておくとカーブをきれいに折る事が出来ます。縮めすぎるとカーブがきれいに出ないので注意しましょう。

㊹ 前後身頃のカーブを同じように折り、アイロンでプレスします。

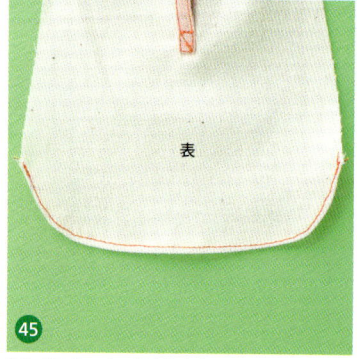

㊺ 表からステッチで押さえます。

㊻ 袖～脇を中表に合わせ、裾の縫い止まりまで縫い合わせ、脇と袖下の縫い代2ヶ所に切り込みを入れます。

㊼ 表に返し、アイロンで整えます。

㊽ 前立てにビーズやボタンを縫い付けます。ここでは第二ボタンまで開いて見えるように縫いつけています。

㊾ 上から3番目のボタンの裏にスナップボタンを縫い付けます。写真のようにスナップを内側にずらし、2ヶ所の穴のみ縫い付けます。こうすることで表から見たときにも目立たず、厚みも軽減できます。

㊿ 完成！

丈を短くすると普通のシャツになりますよ

41

応用編 ＜袖＞

パフスリーブ（型紙……袖C＋袖口カフス）

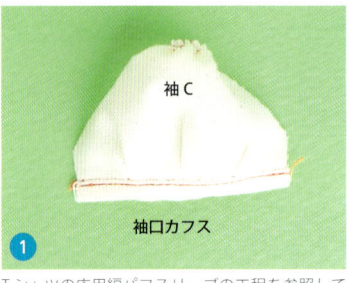

1 Tシャツの応用編パフスリーブの工程を参照して袖にギャザーを寄せます。
カフスの付け方はシャツワンピース基本編の㉝～㉟を参照して下さい。

2 身頃と縫い合わせ、縫い代に切り込みを入れて縫い代を袖側に倒します。

▶▶▶ 基本編 ㊶ へ続きます。

ロールアップスリーブ（型紙……袖A＋袖ベルト）

1 袖口を折り上げ、ステッチします。

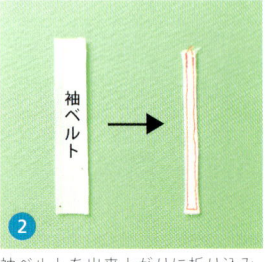

2 袖ベルトを出来上がりに折り込み、ボンドで貼り付け、ステッチします。

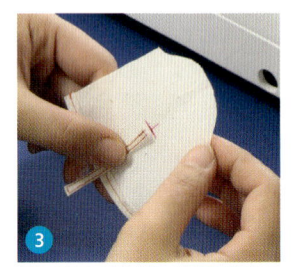

3 袖の裏側にベルト付け位置の印を付け、ベルトを合わせて糸で縫いとめます。

4 ベルトの反対側の端を表側にもっていき、裏側と同じ位置に合わせて縫いとめます。袖口は自然に折り上げます。

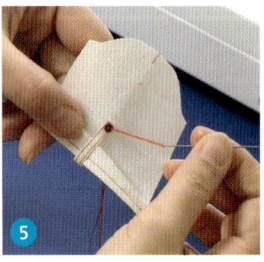

5 ベルトを縫いとめるのと一緒にボタンも縫いつけます。

6 袖パーツの出来上がり。

▶▶▶ 基本編 ㊲ へ続きます。

長袖（型紙……袖B＋袖カフス）

基本編と同じ工程で縫い進めます。

応用編 ＜襟＞

丸襟（型紙……襟B）

型紙を写し、縫い合わせてから裁断します。カーブには切り込みを入れましょう。表に返して周りをステッチします。
▶▶▶ 基本編 25 へ続きます。

スタンドカラー（型紙……襟C）

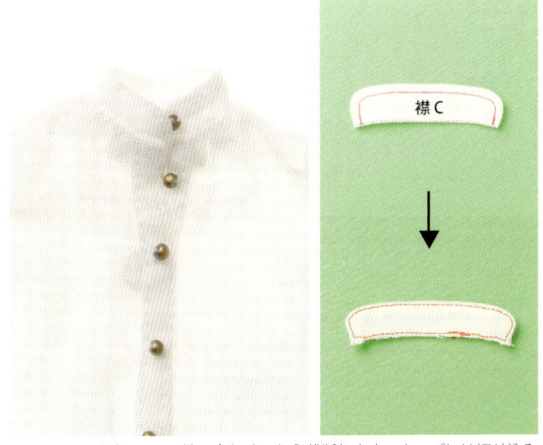

丸襟同様に型紙を写し、縫い合わせてから裁断します。カーブには切り込みを入れましょう。表に返して周りをステッチします。
▶▶▶ 基本編 25 へ続きます。

スキッパーカラー（型紙……襟D）

型紙を写し、縫い合わせてから裁断します。角を切り落とし、表に返して周りをステッチします。

基本編 25 へ続きます。襟の付け位置は短冊の端ではなく、短冊幅の終わりになります。短冊部分は内側に折り込み、ボンドでしっかりと貼り付けます。開きにボタンは縫い付けず、中にインナーを重ねて着用します。

シャツの襟が変わると雰囲気がずいぶん変わりますね

43

応用編 ＜身頃＞

裾スリット（型紙……身頃B）

1 脇を縫い合わせる時にスリットのあき止まりまで縫い合わせ、裾とスリットあき部分を折り込みます。裾とスリットの重なり合う部分にボンドを付けて貼り付けておくと縫いやすくなります。

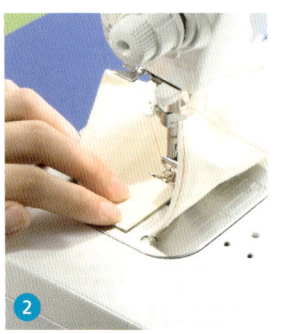

→ ボンドで貼る

2 ミシンでステッチします。両脇を縫い合わせてあるために幅が狭い筒状で、縫いづらくなっています。裏側を表にしたまま、筒の中を縫うようにミシンをかけていくと縫いやすくなります。

3 ぐるりとステッチをかけます。

ブラウジング（型紙……身頃B）

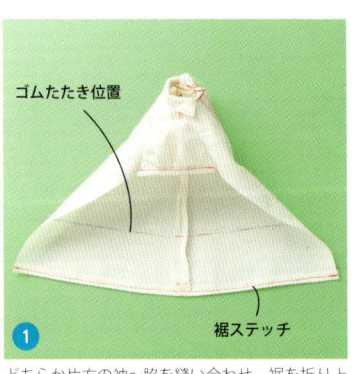

1 どちらか片方の袖〜脇を縫い合わせ、裾を折り上げてステッチします。ゴムを叩く位置に線を引いておきます。

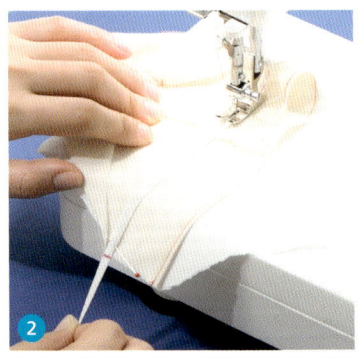

ゴムたたき位置
裾ステッチ

2 ゴムテープにゴム上がり寸法の印を付けて、紙を敷き、ゴムテープを引きながら叩いていきます。

3 ゴムで縮んだ状態になります。

4 もう片方の袖〜脇を縫い合わせます。

5 ゴム部分を上にあげて身頃をたるませて着用します。

momoko ™ ©PetWORKs Co.,Ltd. Produced by Sekiguchi Co.,Ltd. www.momokodoll.com

テクニック① 糸ループの作り方

使用頻度の高い糸ループの作り方をここでおさらいしておきましょう。

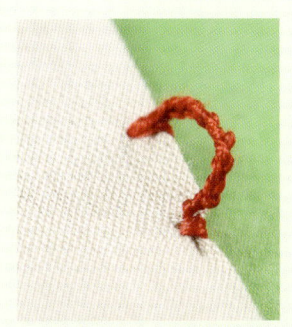

糸ループはよく使うので覚えてね

1に練習 2に練習 3、4がなくて 5に練習だよ!

写真は見やすいように糸を2本どりで作っていますが、通常は1本どりで作ります。

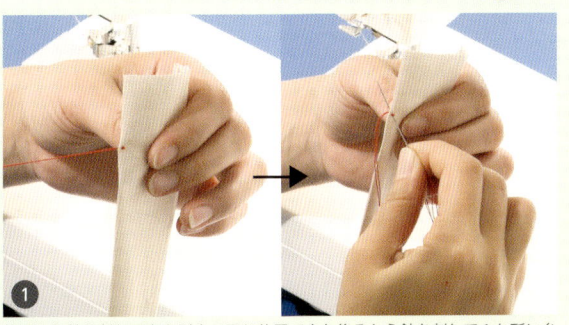

① 後ろから針を刺して糸を引き、同じ位置でまた後ろから針を刺して1か所に糸を2〜3回くくりつけます。

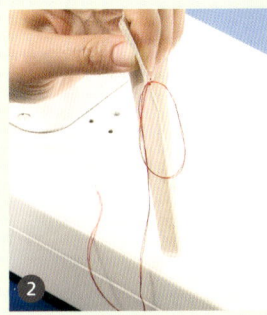

② しっかりとくくりつけたら糸を全て引かず、輪の状態で残します。

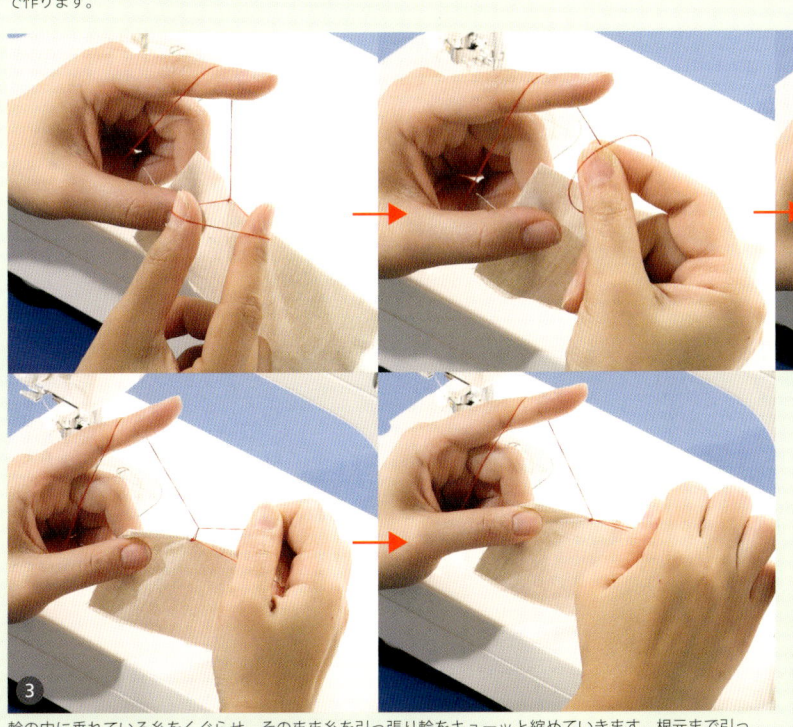

③ 輪の中に垂れている糸をくぐらせ、そのまま糸を引っ張り輪をキューッと縮めていきます。根元まで引っ張ったらひとつ編んだ状態です。

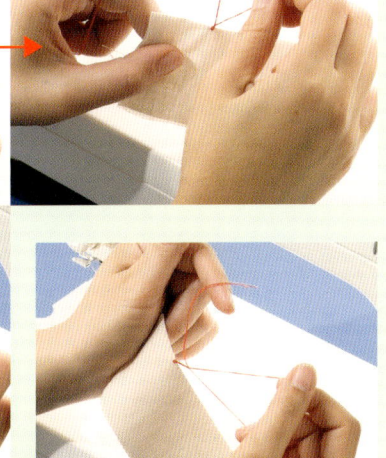

④ そのまま繰り返し必要な長さまで編んでいきます。

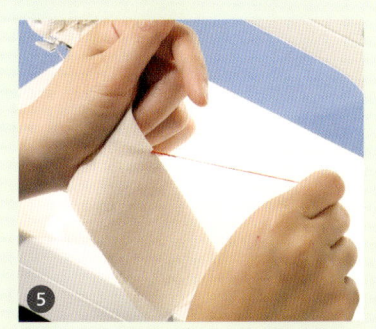

⑤ 最後は糸を引き抜き、ギュッと引っ張ります。

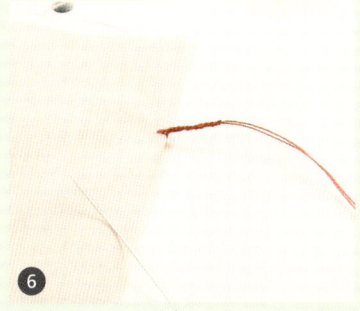

⑥ 編み終わったところです。

⑦ ループにする位置に表から針を刺し、はじめと同じ要領でしっかりとくくり付けます。

Odeco&Nikki ™ ©PetWORKs Co.,Ltd. deconiki.jp

45

第3番 パーカー

難易度 ✽✽✽✽✽

● 基本のパーカー ●

＜基本用尺：22cm／ブライス用＞
ニット生地……32cm × 22cm

● アレンジ例 ●

◆ 裏地付きフード
　（フードAをアレンジ）
◆ ハトメ（フードA）
◆ 半袖（袖B＋袖口リブ）
◆ ロング丈（身頃B）

◆ ファー付きフード
　（フードB＋フードファー）
◆ ロング丈（身頃B）

◆ 裏地付きフード
　（フードAをアレンジ）

パーカーの作り方
基本編

基本編は型紙Aを使用します。

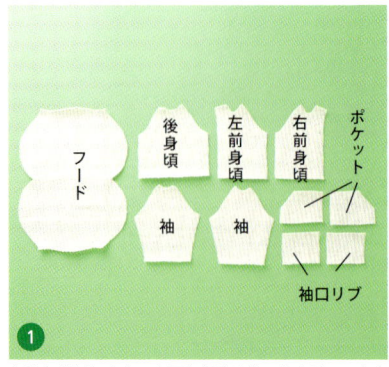

1 生地を裁断します。必要な場合は縫い線を引いておきましょう。

2 フードを中表に折り、後ろ中心を縫い合わせます。

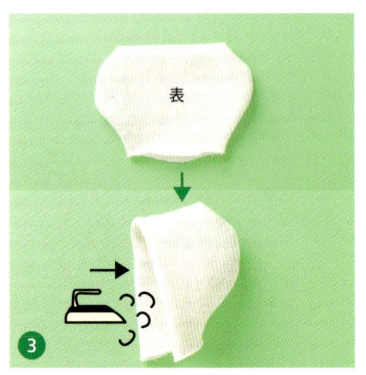

3 縫い代を開いて表に返し、片方の後ろ中心をへこませてフードの形にします。

4 襟ぐり部分を縫い合わせておきます。

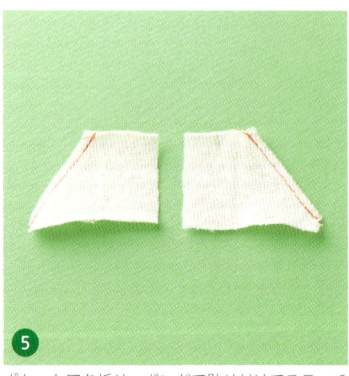

5 ポケット口を折り、ボンドで貼り付けてステッチします。

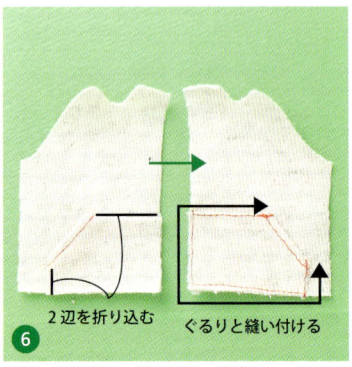

6 ポケットの上部と脇を折り込み、身頃のポケット付け位置にボンドで貼り付けます。ポケット口以外をぐるりと縫い付けます。

7 袖口リブを半分に折り、アイロンでプレスします。

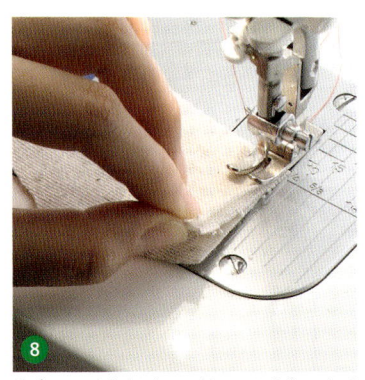

8 袖パーツの表を上にして、袖口にリブパーツを重ねて縫い合わせます。縫い始めは袖口とリブの端を合わせ、数針縫い進んだらリブを引っ張り、袖口の長さに合わせて最後まで縫い進めます。

9 リブを引きながら縫うことできゅっと縮んだ袖口になります。

BLYTHE is a Trademark of Hasbro.©2010 Hasbro. All Rights Reserved.
BLYTHE character rights are licensed in Asia to Cross World Connections,Ltd.
Licensed by Hasbro. www.blythedoll.com(PC site) blythemobile.com(mobile site)

パーカーは着回しのきくアイテムだよ

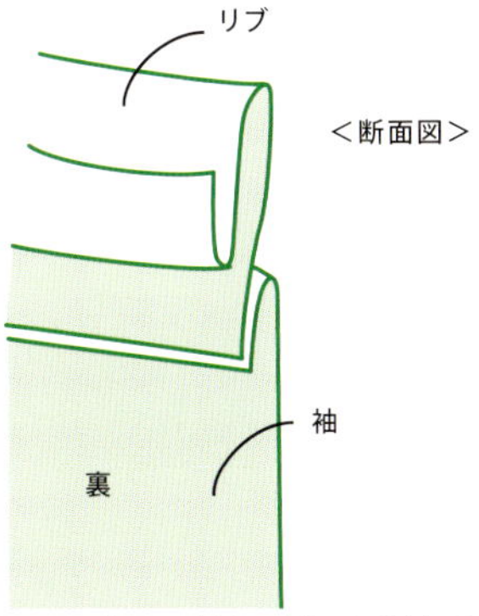

<断面図>
リブ
袖
裏

リブの上の1枚をリブ側へ、残りを袖側へ開きます。

⑩ 縫い代を左のイラストのように開き、アイロンでプレスします。

⑪ 表から袖側、リブ側両方にステッチを入れます。

⑫ 袖を身頃に縫い付けます。

⑬ 前後身頃と袖を中表に縫い合わせ、縫い代を開いてアイロンでプレスします。

⑭ 後ろ身頃襟ぐり中心とフード付け位置(見返しの境目)に印を付けてフードパーツの中心と襟ぐり中心を合わせ、マチ針でとめつけます。

⑮ フード付け位置とフードの端を合わせてマチ針でとめつけ、しつけをします。

⑯ フードと身頃をミシンで縫い合わせます。

⑰ 見返し部分を折り返し、ミシンで縫い合わせます。

49

⑱ 見返しを表に返し、襟ぐりのヒラヒラしている部分をボンドで貼り付けておきます。

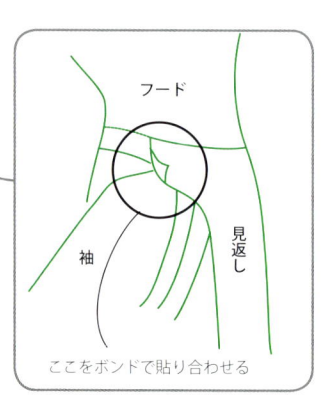

フード
袖
見返し
ここをボンドで貼り合わせる

⑲ 見返しを内側に折り、アイロンでしっかりと折り目を付けておきます。

⑳ だんだん形になってきました！

㉑ 袖〜脇を中表に縫い合わせ、脇下と袖下の2ヶ所に切り込みを入れます。

㉒ 表に返してアイロンで整えます。

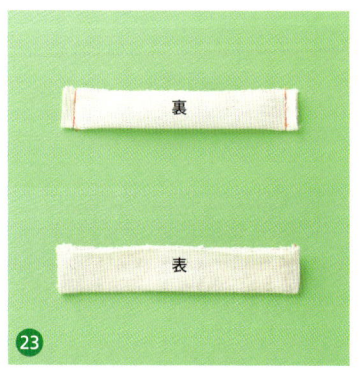

㉓ 裾リブを半分に折り、両端を縫い合わせて表に返し、アイロンでプレスします。

裏
表

㉔ 後ろ身頃の裾中心とリブの中心に印を付けます。

㉕ 中心をマチ針でとめつけ、リブの両端は裾リブ付け位置（見返しの境目）にとめつけます。身頃裾よりリブの長さの方がかなり短くなっています。

BLYTHE is a Trademark of Hasbro. ©2010 Hasbro. All Rights Reserved.
BLYTHE character rights are licensed in Asia to Cross World Connections,Ltd.
Licensed by Hasbro. www.blythedoll.com(PC site) blythemobile.com(mobile site)

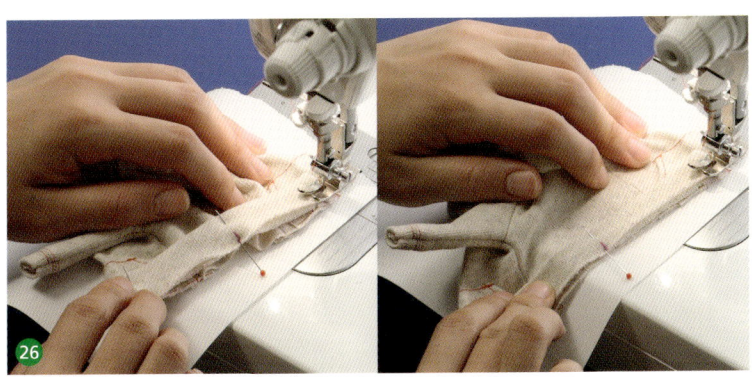

㉖ 裾リブをミシンで縫いつけます。数針縫い進めたらリブをギュッと引っ張り、裾と同じ長さに合わせてそのまま縫い進めます。

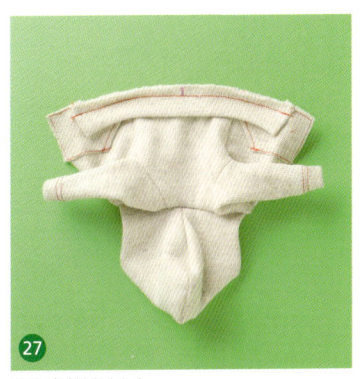

㉗ 裾リブが付きました。

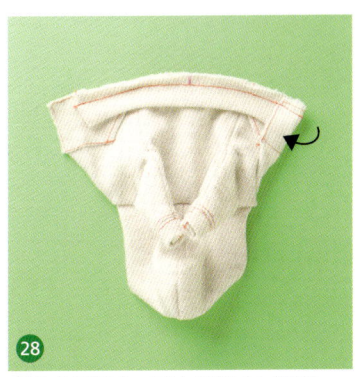

㉘ 見返しを折り込み、ミシンで縫い合わせます。

㉙ 見返しを表に返し、裾の縫い代は身頃側に全部倒してアイロンでプレスします。

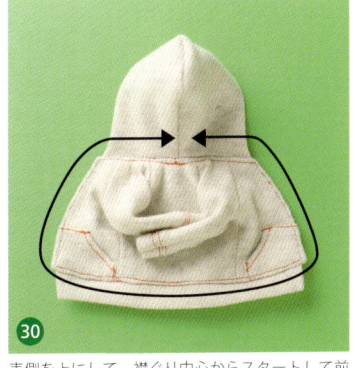

㉚ 表側を上にして、襟ぐり中心からスタートして前立て〜裾〜とぐるりとステッチで押さえます。

㉛ 前立てにもう1本ステッチを入れます。

㉜ 完成!

応用編 ＜フードアレンジ＞

ハトメ（型紙……フードA）

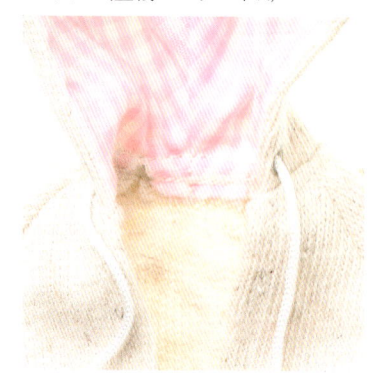

1 道具を用意します。①カナヅチ ②カッターマット ③ハトメパーツ ④菊棒 ⑤穴あけポンチ

2 フードの表と裏にハトメ位置の印を付けます。

3 裏側の印の上に小さくカットした接着芯を貼ります。接着芯は少し厚地の、しっかりとしたものを使います。

4 印の上にポンチで穴を空けます。

5 小さな穴が空きます。

6 ハトメを用意します。

7 表側から穴にハトメを差し込みます。

8 菊棒を垂直に立ててかなづちで打ち付けます。ギザギザした部分が出ないように、菊棒を外してかなづちで軽く打ちつけます。

9 裏から見たところです。

▶▶▶ 基本編 **2** へ続きます。

BLYTHE is a Trademark of Hasbro.©2010 Hasbro. All Rights Reserved.
BLYTHE character rights are licensed in Asia to Cross World Connections,Ltd.
Licensed by Hasbro. www.blythedoll.com(PC site) blythemobile.com(mobile site)

起毛した生地や柄生地で裏地を付けると
色々なバリエーションのパーカーが作れるよ！

〈ひもを通す場合〉

1 ハトメの穴に通る太さの毛糸用のとじ針を利用します。

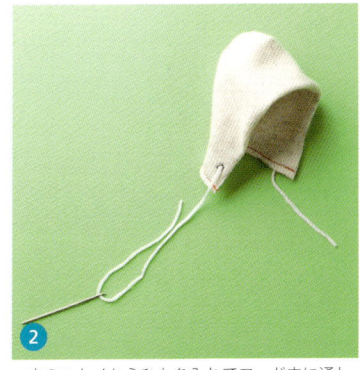

2 一方のハトメからひもを入れてフード内に通し、もう一方のハトメから出します。

3 実際はフードを身頃に縫いつけて完成してからひもを通しましょう。
※使用するひもはリリアンひものように自然に垂れる柔らかいひもがお勧めです

裏地付きフード（型紙……フードAをアレンジ）

使用する型紙はフードAですが、輪裁ちの部分に0.5cmの縫い代を足して型紙をカットします。

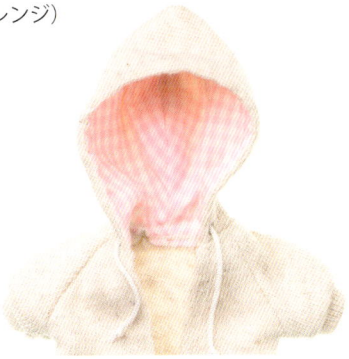

1 表地と裏地を各1枚ずつ裁断します。
→縫い代を足します

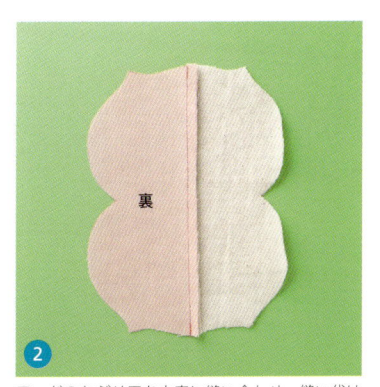

2 フードのかぶり口を中表に縫い合わせ、縫い代は片側に倒してプレスしておきます。

3 フードを二つに折って後ろ中心を縫い合わせます。

4 縫い代を開いて表に返し、裏地側をへこませてフードの形を作ります。かぶり口をアイロンでプレスして整え、襟ぐり部分をステッチします。

▶▶▶ 基本編 **5** へ続きます。

53

ファー付きフード（型紙……フードB＋フードファー）

1 ファーのパーツを真ん中に挟み、それぞれ中表に縫い合わせます。毛足の長い生地は生地がずれやすいので縫いづらい場合はしつけてからミシンで縫い合わせます。

2 フードを二つに折って後ろ中心を縫い合わせます。

3 縫い代を開いて表に返し、片側をへこませてフードの形を作ります。襟ぐり部分をステッチします。

4 大きなサイズになるとファー部分がずれて形がつけづらいのでファーと生地の境目を目立たないように点止めしておくと良いでしょう。

▶▶▶ 基本編 **5** へ続きます。

応用編 ＜袖／身頃＞

半袖（型紙……袖B＋袖リブB）

1 袖口にギャザー用のステッチを2本入れ、リブの長さに合わせてギャザーを寄せます。

2 袖口リブを半分に折ってプレスし、袖口に縫い付けます。縫い代は袖側に倒します。

▶▶▶ 基本編 **12** へ続きます。

ロング丈（型紙……身頃B）

作り方の工程は基本編と同じです。裾リブは基本編より強く引いて縫い付けます。

テクニック②　あきの処理について

後ろあきのとめ方には様々なパターンがあります。
いろいろ覚えてケースによって使い分けてください。

これだけ覚えたらバッチリだよ

あきの処理もいろいろあるね

■ 糸ループ＆ビーズの場合 ■

Tシャツの基本編では糸ループ＆ビーズでとめています。
見た目が美しく、重ね着しても厚くならないのでお勧めの方法です。
※糸ループの作り方は P45 参照

■ スプリングホックの場合 ■

「糸ループ＆ビーズの場合」と同じように開きを縫い合わせてスプリングホックのオス・メスでとめます。表に縫い糸が出てしまわないように縫い代部分にホックを縫い付けます。

■ マジックテープの場合 ■

後ろ中心を裾まで折り込み、マジックテープ（オス）を持ち出しになるように縫いつけます。なるべく薄いマジックテープを使用しましょう。着せやすさを重視したい時に。

■ スナップボタンの場合 ■

開きの下になる方の後ろ身頃中心に縫い代をプラスして持ち出しを作ります。開きが重なるようにしてスナップボタンを縫い付けます。縫い糸が表に出ないように縫い代部分にスナップを縫い付けましょう。少し厚みが出てしまいますがしっかりととまります。

Odeco&Nikki ™ ©PetWORKs Co.,Ltd. deconiki.jp

55

第4番 デニムパンツ

難易度 ✿✿✿✾✾

● 基本のデニムパンツ ●

＜基本用尺：27cm／momoko DOLL 用＞
生地……24cm × 26cm
ホットフィット　3mm……1個、1.5mm……4個
スプリングホック (オスのみ)……1個

● アレンジ例 ●

◆ デニムスカート（型紙 B）

◆ デニムスカート
（型紙 B・コーデュロイ生地使用）

◆ ショートパンツ
（型紙 C・コーデュロイ生地使用）

◆ ロールアップ（型紙 A）

デニムパンツの作り方
基本編

基本編は型紙Aを使用します。

1 生地を裁断し、布端にジグザグミシンをかけておきます（デニムを洗わない場合はほつれ止め液でも大丈夫です）。ポケット位置と前立てのステッチラインを描き込んでおきましょう。

2 後ろポケットのポケット口を折り、ボンドで貼り合わせてステッチをかけます。
※ステッチはリアルな雰囲気を出すために2本入れますが、1本でも問題ありません

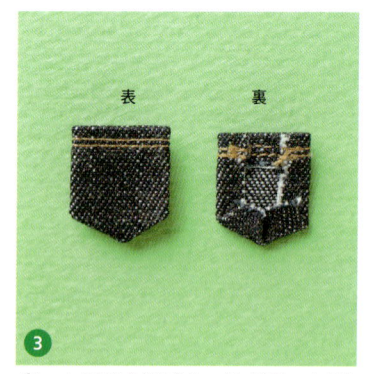

3 ポケットの周りを折り込み、ボンドでしっかりと貼り付けます。

4 後ろパンツのポット付け位置にポケットを縫い付けます。

5 後ろヨークとパンツを縫い合わせます。

6 中表に合わせてミシンをかけます。

7 縫い代はパンツ側に倒してステッチで押さえます。

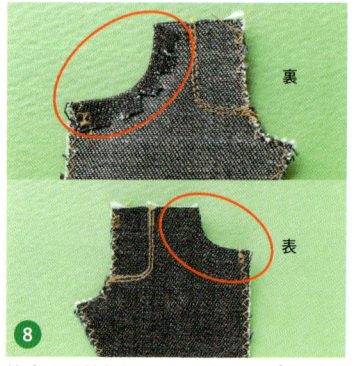

8 前パンツの前立てにステッチを入れ、ポケット口に切り込みを入れて折り返しボンドで貼り付けます。

9 ポケット口をステッチします。

momoko™ ©PetWORKs Co.,Ltd. Produced by Sekiguchi Co.,Ltd. www.momokodoll.com

リアルクローズといえばデニムパンツですね

⑩ ポケット口に向う布を合わせてポケット口の両端をボンドで貼り付けます。

⑪ ポケットに手が入るようにします。

⑫ 前パンツを中表に合わせて前中心を縫い合わせます。

前中心

⑬ 縫い代を前立てステッチの入っている方に倒してプレスし、ステッチで押さえます。カーブがきついので両側にぐっと開き、生地がたるまないようにしながらステッチします。

⑭ ステッチが入った所です。

⑮ 前中心にダミーステッチを入れます。ステッチの幅が短いので何回か往復させてしっかりとステッチします。

⑯ 前後パンツの脇を縫い合わせます。

⑰ 脇を中表に縫い合わせ、縫い代は一旦後ろ側に倒して上部のみステッチで押さえます(型紙のステッチラインを参照)。

⑱ ステッチで押さえた所から下は縫い代を開いてアイロンでプレスします。
※この工程は洗った時にきれいにあたりを出すためなので、裾まで後ろ側に倒してステッチで押さえてしまっても大丈夫です

59

⑲ 表から見たところです。

⑳ 裾を折り上げ、ボンドで貼り付けてステッチします。

㉑ 裏側を上にして、向かって右側の後ろ中心、ウエスト部分の縫い代を内側に折り込み、ボンドで貼り付けます。

㉒ ウエストベルトを中表に縫い合わせます。

㉓ このとき、ウエスト部分を折り込んだ方はベルトが飛び出る形になります。

㉔ 飛び出ているベルト部分を内側に折り込み、ボンドで貼り付けます。

㉕ ウエストベルトを内側に折り込み、ボンドで貼り付けます。表から見たときにベルトの幅が均等になるように調整しましょう。

㉖ 表からベルト部分にぐるりとステッチを入れます。

㉗ ジーンズのボタンやリベットはホットフィットで代用します。

㉘ アイロンでしっかりと貼り付けましょう。
※デニムを洗う場合は洗って乾かした後にホットフィットを付けます

㉙ 後ろ中心を開き止まりまで縫い合わせます。

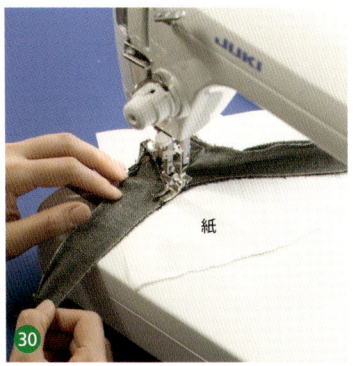

㉚ 股下を縫い合わせます。デニム生地は重なり合うとかなり厚みが出て縫いづらい場合があります。うまくミシンが進まない時は紙を敷くと良いでしょう。

㉛ これでミシン工程はお終いです。

㉜ 表に返します。鉗子を使用すると返しやすくなります。

㉝ ウエストあきにスプリングホックと糸ループを付けます。
※糸ループの作り方は P45 参照

㉞ 完成！

ステッチを細かく入れるとリアルに仕上がりますね

応用編
＜デニムスカート／ショートパンツ／ロールアップ＞

デニム以外の生地を使用すれば全く違った雰囲気のボトムが作れます。色々な生地で作ってみましょう

デニムスカート（型紙…B）

型紙は B を使用します。向う布の型紙はサイズにより変わりますのでそれぞれの型紙を確認してください。42cm 用以外は後ろヨークが一体になっています。

1 ポケットの付け方やステッチの入れ方は基本のデニムパンツを参照して下さい。後ろヨークが一体になっている型紙はダミーのステッチが入ります。

2 前中心、前後脇を縫い合わせて裾をステッチし、基本パンツと同じ要領でウエストベルトを縫い付けます。

3 後ろ中心をあき止まりまで縫い合わせ、スプリングホックと糸ループを付けます。
※糸ループの作り方は P45 参照

ショートパンツ（型紙…C）

型紙は C を使用します。丈が短くなるだけで基本のパンツと同じ工程になります。

ロールアップ（型紙…A）

1 基本工程 ⑲ の段階で裾を表側に 2 回折り上げて両端を軽く縫い留めておきます。

▶▶▶ 基本編 ㉑ へ続きます。

＜ダブルステッチについて＞

デニムをリアルに作りたい時はポケット口や前立てのステッチを 2 本入れてダブルステッチにします。ぐっとディテールがアップして本物らしい雰囲気が出ます。2 本のステッチを細く均等に入れるのは難しいのでゆっくりと慎重にミシンを進めましょう。

＜ホットフィットについて＞

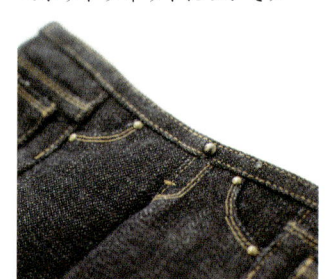

デニムのボタンやリベットの代わりにホットフィットを付けるとよりデニムらしくなります。色々なサイズがあるのでドールのサイズに合ったものを選びましょう。前のボタンはカシメを打ち付けても良いでしょう。

ウエストベルト / ポケット向う布 / 左後ろスカート / 右後ろスカート / 右前スカート / 左前スカート

momoko™ ©PetWORKs Co.,Ltd. Produced by Sekiguchi Co.,Ltd. www.momokodoll.com

デニムのダメージ加工

デニム生地には色々な種類があります。良く色が落ちるもの、全く落ちないもの、落ちない生地は洗い加工をしても全く変わらない場合もあります。色々な生地で試して好みの生地を見つけましょう。よく色の落ちる生地はかなりの染料が流れるので手や洗面ボウルが青く染まってしまう場合があります。ドールのボディにも色が移る可能性が高いので注意が必要です。

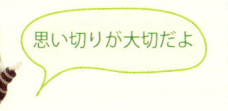

> 思い切りが大切だよ

道具を用意します。紙やすりは240番位が丁度良い粗さです。たわしは目の細かい小ぶりなものが使いやすいです。手は青く染まってしまうのでゴム手袋等を用意すると良いでしょう。①紙やすり ②たわし ③リッパー ④せっけん ⑤ゴム手袋

> 繊細さも大事だよ

1
写真の状態までデニムパンツを縫い進めます（基本編26まで）。

2
リッパーを使ってダメージを入れたい場所に傷を付けます。ポケット口や裾はリッパーでひっかくイメージで細かく傷付けます。穴を空けたい時は生地に対して真横にリッパーで切り裂き、横糸だけを残して少しずつ縦糸を抜いていきます。抜いた縦糸はハサミで切り落とします。

3
デニムをせっけんでゴシゴシと洗います。3度ほど洗っては流し、洗っては流しを繰り返します。特に色を落としたい場所を念入りに擦ります。実際は洗面所やお風呂場等、すぐに水で流せる場所で作業して下さい。

4
洗い終わったら水気を絞り、タオルの間に挟んでさらに水気を吸い取ります。
※タオルは青く染まってしまう場合があるので汚れてもよいものを使用しましょう

5
デニムは完全に乾かさず、湿っている状態で紙やすりをかけていきます。デニムのヒゲは線を入れたい場所を指でつまみ、やすりで擦って色を落とします。

6
さらに全体的に色を薄くしたい場所をやすりで擦ります。

7
やすりがけが終わったらアイロンで一気に乾かします。生地にテカリが出てしまう場合は再度紙やすりで軽く擦ると良いでしょう。

8
良い感じに色の落ちたデニムになりました。①の写真と比べるとだいぶ色が落ちているのがわかります。

▶▶▶ 基本編27へ続きます。

Odeco&Nikki ™ ©PetWORKs Co.,Ltd. deconiki.jp

第5番 ピーコート

難易度 ✽✽✽✽✽

● 基本のピーコート ●

<基本用尺：22cm／ブライス用>
表地用生地……28cm × 31cm
裏地用生地……11cm × 21cm
ドール用ボタン＆留め具……着せ方によって好みで（P73 参照）

● アレンジ例 ●

◆ ファー襟（襟B）
◆ ロング丈（身頃B）

この本で一番難しい服だよ

ピーコートの作り方

基本編　基本編は型紙Aを使用します。

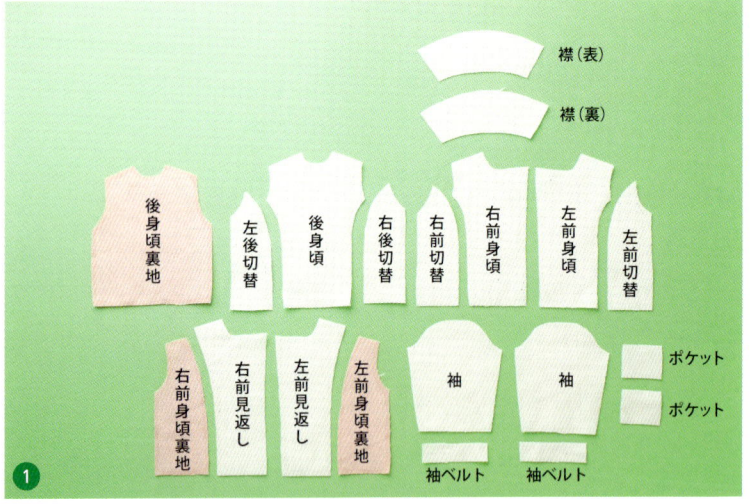

1 生地を裁断して布端にほつれ止め液を塗っておきます。必要な場合は縫い線を引いておきましょう。

2 襟を中表に合わせて両端をステッチします。

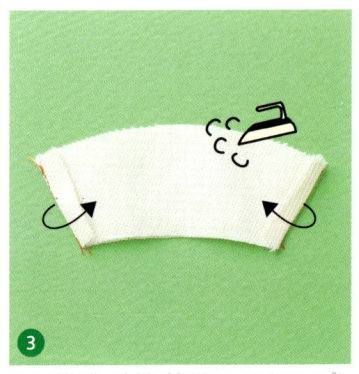

3 両端の縫い代を内側に折り込み、アイロンでプレスします。

4 両端を折り込んだ状態で上部をステッチします。

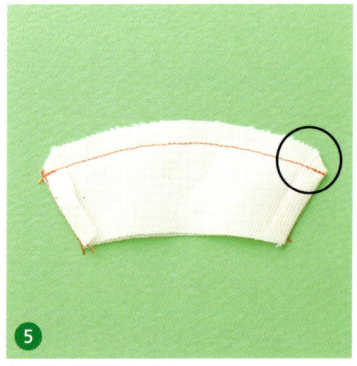

5 角の端を切り落とします。

6 表に返し、しっかりと角を出してアイロンでプレスし、周りをステッチします。

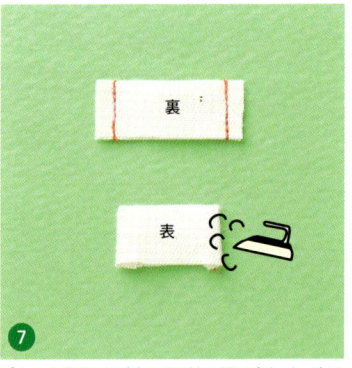

7 ポケットを二つに折って両端を縫い合わせ、表に返しアイロンでプレスします。

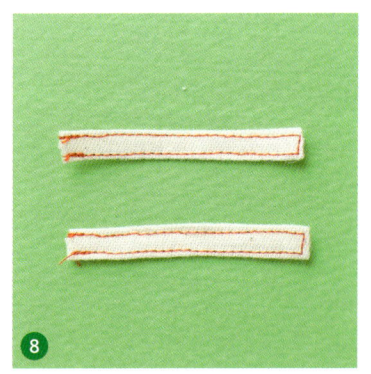

8 袖口ベルトを出来上がりに折り込み、ボンドで貼り付けて周りをステッチします。

BLYTHE is a Trademark of Hasbro.©2010 Hasbro. All Rights Reserved.
BLYTHE character rights are licensed in Asia to Cross World Connections,Ltd.
Licensed by Hasbro. www.blythedoll.com(PC site) blythemobile.com(mobile site)

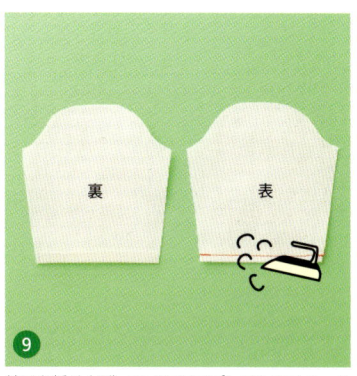

9 袖口を折り上げ、アイロンでプレスしてステッチで押さえます。

10 ベルト付け位置に袖口ベルトを縫いつけます。

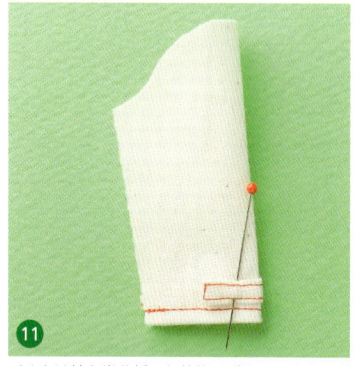

11 ベルトは袖を半分折った状態でボタンでとめつける位置を決めます。

12 平らの状態でベルトをそのまま固定してしまうと袖が筒状になった時にしわが寄ってしまいます。

13 ベルトの位置が決まったらボタンを縫いつけます。平らにするとベルトの方が少し余った状態になります。

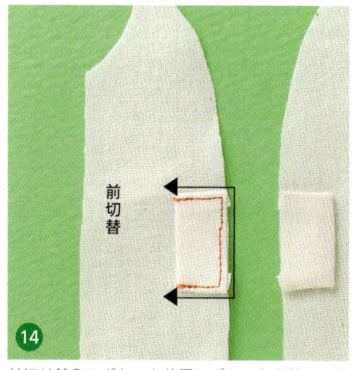

14 前切り替えのポケット位置にポケットを縫いつけます。

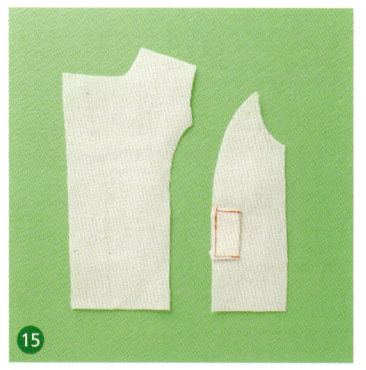

15 前身頃と切り替えを縫い合わせます。

16 裾を合わせてマチ針でとめます。縫い合わせた時に袖のカーブがぴったり合うように上部を合わせてしつけていきます（切り替え側の角が身頃より少し出る形になります）。

切り替えのカーブを少しいせ込むイメージでしつけるとぴったり長さを合わせる事が出来るよ

67

17 前後身頃の全ての切り替えを同じようにしつけてミシンで縫い合わせます。縫い代のカーブに切り込みを入れ、身頃側に縫い代を倒してステッチで押さえます。

18 前後身頃の肩を縫い合わせ、縫い代を開いてアイロンでプレスします。

19 後ろ身頃の襟ぐり中心と襟付け位置、襟の中心に印を付け、中心を合わせてしつけをかけます。

20 襟をミシンで縫い付けます。この時は縫い代の少し内側を縫いましょう。

21 袖を縫い付けます。シャツワンピース基本編38〜40を参照して同じ要領で袖を縫い付けて下さい。

22 縫い代に切り込みを入れ、身頃側に倒してアイロンでプレスします。

23 袖ぐりをステッチで押さえます。

24 前後身頃裏地の裾をそれぞれ折り上げ、アイロンでプレスしてステッチします。

25 見返しの裏地付け位置に前身頃裏地の裾を合わせます。

㉖ 裾をマチ針でとめつけて上からしつけをします。

㉗ ミシンで縫い合わせます。

㉘ 縫い代を見返し側に倒してアイロンでプレスし、ステッチで押さえます。

㉙ 前後裏地の肩を縫い合わせます。

㉚ 縫い代は後ろ側に倒し、袖ぐりに切り込みを入れて内側に折り込み、ボンドで貼り付けます。

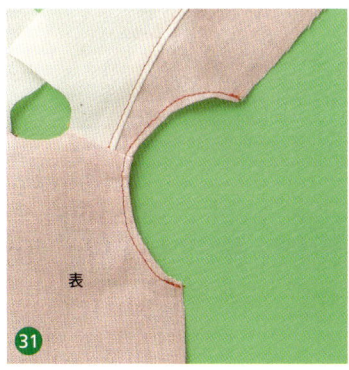

㉛ 袖ぐりをステッチします。

㉜ 表地と裏地の前立て〜襟ぐりを中表に合わせます。

㉝ 襟ぐり中心と裾をマチ針でとめつけ、しつけをかけます。

69

㉞ 前立ての裾から襟部分までまっすぐステッチをかけます。

㉟ 縫い代を手前に倒し、アイロンでプレスします。

㊱ 拡大したところです。

㊲ 縫い代を折り込んだ状態で襟ぐりと裾をステッチします。

㊳ 襟ぐりの縫い代に切り込みを入れ、角を切り落とします。

㊴ 表地の袖〜脇を縫い合わせ、脇下と袖下の2ヶ所に切り込みを入れます。

㊵ 裏地の脇を縫い合わせ、縫い代を開きます。

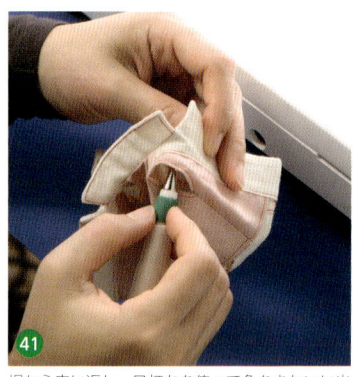

㊶ 裾から表に返し、目打ちを使って角をきれいに出します。

㊷ 表身頃の裾を折り上げ、数か所ボンドで貼り付けます。

BLYTHE is a Trademark of Hasbro.©2010 Hasbro. All Rights Reserved.
BLYTHE character rights are licensed in Asia to Cross World Connections,Ltd.
Licensed by Hasbro. www.blythedoll.com(PC site) blythemobile.com(mobile site)

㊸ 表からステッチを入れます。ステッチを入れる位置は型紙を参照してください。
※裏地を一緒に縫ってしまわないように注意しましょう

㊹ 前身頃の襟ぐり〜前立てをステッチします。 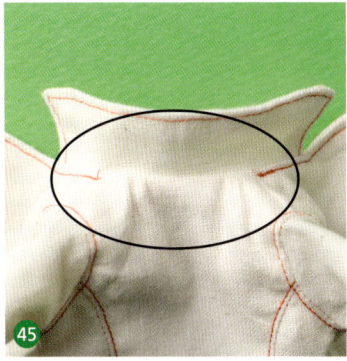
ここからスタート

㊺ 後ろ身頃の襟ぐりはステッチで押さえず、縫い残します。

㊻ 襟を折り、プレスして形を整えます。全体的にアイロンで整えましょう。

角をしっかり出していくのがポイントだよ

㊼ ボタンを付けて完成です。※ボタンの付け方はP73参照

71

応用編

ファー襟（型紙…襟B）

1 裏地に型紙を写し、裁断する前にファー生地と縫い合わせます。

2 縫い合わせた後に裁断して、カーブに切り込みを入れます。

3 表に返してきれいに形を整え、襟ぐり部分を縫い合わせます。

▶▶▶ 基本編 **7** へ続きます。

ロング丈（型紙…身頃B）

作り方の工程は基本編と同じです。ただしボタンの位置やポケットの付け位置が変わるので注意しましょう。

※写真のアレンジ例は丈をロングにして袖を七分袖にしています。七分袖にする場合は袖パターンの丈を短くして袖口に向かって幅を広くするとバランスが良くなります

この他にもいろいろなアレンジを考えてみよう

BLYTHE is a Trademark of Hasbro.©2010 Hasbro. All Rights Reserved.
BLYTHE character rights are licensed in Asia to Cross World Connections,Ltd.
Licensed by Hasbro. www.blythedoll.com(PC site) blythemobile.com(mobile site)

ボタンの付け方

ピーコートは着せ方によってボタンの付け方が変わります。人間用と違ってボタンホールを作ることが難しいのでケースバイケースでボタンの付け方を工夫します。

<開けて着る場合>

合わせの前をとめずに羽織って着せる時はボタンを左右身頃に同じように縫い付けます。羽織り専用なのでホックやスナップ等は付けません。

<閉めて着る場合>

ボタンをとめているように見せる為、合わせの上になる側のボタンはボタンをとめる位置までダブルで縫い付けます。とめる位置から上は左右に分けてボタンを縫い付けます。とめる位置のボタンの裏にスナップボタンを縫い付けます。閉めて着せることを前提としているので開けて着る場合は不自然なボタンの付き方になります。

<開けたり閉めたりしたい場合>

その他にもコートの前を一番上まで閉めて着たり、色々と工夫してみてね

コーディネイトによって開けたり閉めたりしたい場合は、上から2番目までのボタンは縫い付けずに、それ以外のボタンをすべて合わせの上になる側に縫い付けます。開けて着る場合には片側の身頃にボタンがすべて付いているため、少し不自然な付き方になります。裏にはスプリングホックと糸ループを付けます。糸ループを生地と同色の糸で作れば前を開けた時も目立ちません。※糸ループの作り方はP45参照

テクニック③ プチブライスのポイント

プチブライスの服はとても小さいので、縫う時に他のドールとは違う方法を取る場合があります。

Tシャツ

プチブライス用の型紙はとても小さいので身頃や袖が全部つながっています。

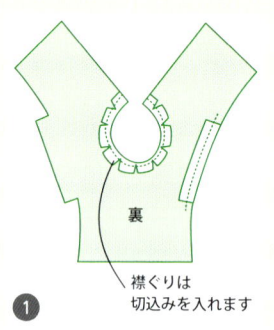

① 襟ぐりと袖口は折り込んでボンドで貼り付け、ステッチします。

② 脇は袖の形になるように縫い合わせます。

③ 後ろあきは裾まで折り込み、マジックテープを持ち出しにして縫い付けます。ノースリーブにする場合は襟ぐりと同じように袖ぐりも折り込みます。

Tシャツのアレンジ例のノースリーブワンピースです。

> サイズがとても小さくて作業も細かいので、ミシン作業時は常に下に紙を敷いて縫うことをお勧めします。紙を敷くと指で押さえる範囲が広がるので作業がしやすくなります

シャツワンピース

基本編とは大きく形が異なります。とても小さいので前の短冊あきは作らず、後ろあきになります。

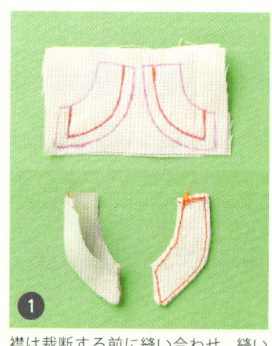

① 襟は裁断する前に縫い合わせ、縫い代のカーブに切り込みを入れ、角を切り落として表に返し、周りをステッチします。

② 襟はしつけをしてからミシンで縫い付けます。前中心からずれないように注意しましょう。

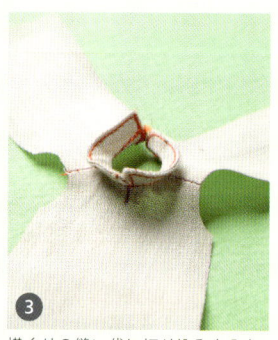

③ 襟ぐりの縫い代に切り込みを入れ、身頃側に倒して縫い代をボンドで貼り付けます。

④ ヒラヒラした部分がないようにしっかりと貼り合わせておきましょう。

⑤ 襟ぐりをステッチで押さえます。襟が反り返るので縫いづらいですが目打ち等で襟を押さえながら少しずつ縫い進めます。

⑥ 襟を寝かせてアイロンできれいにプレスします。

⑦ 袖はとても小さく、ミシンでは縫いづらいので手縫いで身頃に縫い付けます。なるべく細かい返し縫いでしっかりと縫い付けます。袖が付いたら縫い代に切り込みを入れ、身頃側に倒してミシンのステッチで押さえます。

⑧ 前後の裾をそれぞれ折り返し、ステッチをかけてから袖〜脇を縫い合わせます。

⑨ 後ろあきは襟ごと内側に折り込み、マジックテープを持ち出しになるように縫い付けます。生地が重なり合って厚くなるのでミシンはゆっくりと縫い進めましょう。

⑩ 前中心にビーズを縫い付けます。

⑪ 完成！

パーカー

① フードは裏地が付かないのでかぶり口を折り返しステッチします。

② フードや袖の付け方はパーカーの基本編を参考にして下さい。

③ 袖リブも裾リブも付かないので折り返して処理します。

④ シンプルなので前あきにビーズ等を縫い付けてアクセントにします。

パーカーのアレンジ例です。フード(大)の型紙を使用すると実際に頭にかぶれるフードが作れます。

デニムパンツ

1 ポケット口と前立てのダミーステッチを入れます。ウエストベルトは付かないので折り返して処理します。

2 後ろあきはマジックテープを持ち出しになるように縫いつけます。デニム以外の生地で作る場合はダミーステッチは入れなくても大丈夫です。

デニムパンツアレンジ例のショートパンツです。ステッチは入っていません。

ピーコート

1 基本編と同じ要領で縫い進めますが、切り替えやポケットは省略されています。

2 袖はシャツワンピースと同じように縫い付けます。

3 裏地は付かないので、襟を付ける時はパーカーと同じ要領で見返しと一緒に縫い合わせます。

4 前にビーズを縫いつけます。

> デニムパンツは旧ボディには少しきつめだよ！

BLYTHE is a Trademark of Hasbro.©2010 Hasbro. All Rights Reserved.
BLYTHE character rights are licensed in Asia to Cross World Connections,Ltd.
Licensed by Hasbro. www.blythedoll.com(PC site) blythemobile.com(mobile site)

テクニック④
ニッキのしっぽのポイント

ニッキはしっぽがあるので、おでこちゃんとは後ろ側の処理が異なります。

Tシャツ

タンクトップは後ろが全部開くようにして、マジックテープを持ち出しにして縫い付けます。

デニムパンツ

両側とも内側に折り込み、スプリングホックのオス、メスでとめ付けます。

※ロング丈バージョンの型紙はニッキに対応していません

「ニッキのしっぽはちゃんと出してあげてね」

「なぜならニャンコだからね」

ユノアクルス（ルシス）のポイント

小さいお人形には難しいテクニックも使えます。

カフス

ユノアクルス（ルシス）は手が大きいのでカフスの開きを作ります。袖下の縫い代を利用して簡単に開きを作ってみましょう。

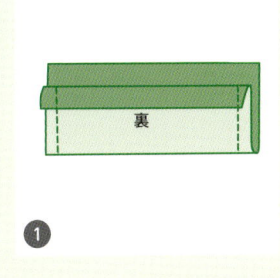

1 カフスは図のように片側の縫い代を折り込んだ状態で両端を袋状に縫い合わせます。

2 袖の両端はあき止まりの少し上まで折り込みステッチします。カフスを表に返して折り込んでない方の縫い代と袖口を中表に合わせます。

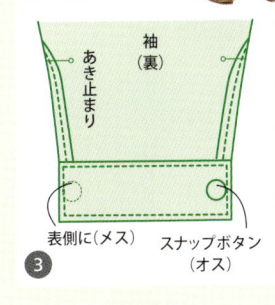

3 カフスの中に袖口の縫い代を折り込み、カフスの周りをぐるりとステッチします。スナップボタンを付けます。

ポケット

サイズが大きいのでポケットは袋状にします。

1 ポケットに袋布を重ねてステッチします。

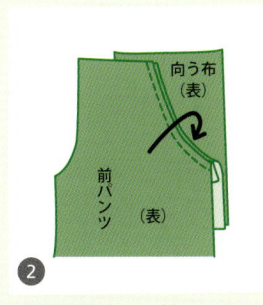

2 袋布を裏側に返して、ポケット口をステッチします。向う布を袋布と重ねます。

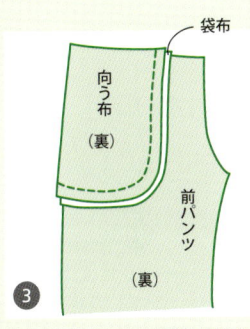

3 向う布と袋布の周りを縫い合わせます。

Odeco&Nikki ™ ©PetWORKs Co.,Ltd. deconiki.jp
© Renkinjyutsu-Koubou,Inc. © GENTARO ARAKI 2010

For The Other Dolls

本書掲載の型紙は、微調整することで様々なドールたちにも使用できます。
一部のドールのみですが、調整のポイントをご紹介しますので、どんどん作ってあげてください。

Licca

	使用するパターン		
	20cm	22cm	27cm
Tシャツ		★	
シャツ		★ ←襟ぐりが大きめです	
パーカー		★	
パンツ		★	
ジャケット		★	

© TOMY

Tiny Betsy McCall

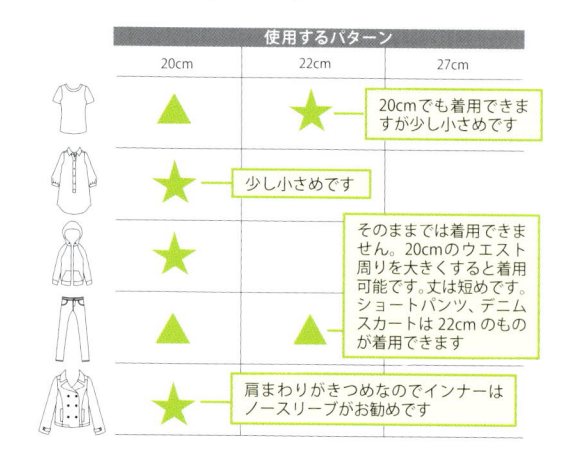

	使用するパターン		
	20cm	22cm	27cm
Tシャツ	▲	★ ←20cmでも着用できますが少し小さめです	
シャツ	★ ←少し小さめです		
パーカー	★		
パンツ	▲	▲ ←そのままでは着用できません。20cmのウエスト周りを大きくすると着用可能です。丈は短めです。ショートパンツ、デニムスカートは22cmのものが着用できます	
ジャケット	★ ←肩まわりがきつめなのでインナーはノースリーブがお勧めです		

© 2010 effanbee® doll company, inc. Betsy McCall® is a registered trademark licensed for use by Meredith Corporation. ©2010 Meredith Corporation. All rights reserved. Produced under license by Effanbee Doll Company, inc.

掲載型紙のモデルリスト
11cm サイズ…プチブライス
20cm サイズ…おでこちゃんとニッキ
22cm サイズ…ブライス
27cm サイズ…momoko ドール
42cm サイズ…ユノアクルス（ルシス）

※本書掲載の型紙についてのみの説明です。他書に掲載の型紙や、市販のお洋服で適合するものではありません。ご了承ください

JENNY

使用するパターン

	20cm	22cm	27cm
Tシャツ			★
シャツ		七分丈のデザインが、ジャスト丈になります	★
パーカー		袖が長めですがおかしくない程度です	★
パンツ		そのままでは着用できません。デニムスカートは27cmで着用できます	▲
ジャケット		袖丈を0.7cm短くします	★

© TOMY

Unoa Quluts Light (flourite)

使用するパターン

	20cm	22cm	27cm
Tシャツ			★
シャツ			★
パーカー			★
パンツ			そのままでは着用できません。27cmのひざ下を太くするとはけるようになります。ショートパンツ、デニムスカートは27cmで着用できます ▲
ジャケット			★

©Renkinjyutsu-Koubou,Inc. ©GENTARO ARAKI 2010 ©Sekiguchi

著者紹介

関口妙子（F.L.C.）

2001年よりお人形服の制作をスタート。現在、PetWORKs、セキグチ、アゾンインターナショナル他で、ドール衣装のデザイン＆パターンを手掛けつつ、自身のブランド(F.L.C.)でオリジナル衣装の制作を行っている。2008年9月には初個展「Reality Clothes」を開催。「ドール・コーディネイト・レシピ①リアルクローズ」「同④ロマンティック・ガーリー」「はじめてのドール・コーディネイト・レシピ」（すべて小社刊）著者。

おつかれさまでした！

最後まで読んでくれてありがとう！

staff

編集
TEAM F.L.C.

撮影
米倉裕貴

AD
田尻奈津子

協力
キューティーズ
クロスワールドコネクションズ
セキグチ
タカラトミー
プロジェクト・ブリーダー
ペットワークス
錬金術工房
　　　　　　and more……
　　　　　（敬称略50音順）

企画
小中千恵子（グラフィック社）

Dolly * Dolly Books
かんたんドール・コーディネイト・レシピ
―お人形服作りの基本と応用―

2010年 2月25日　初版第1刷発行
2018年11月25日　初版第11刷発行

本書で撮影したお人形及び小物は著者個人の私物または借り物であり、著者本人がカスタムしたり、現在は販売終了しているものもございます。各メーカーへのお問い合わせはご遠慮くださいますようお願いいたします。

著　者：関口妙子
発行者：長瀬　聡
発行所：株式会社グラフィック社
印刷所：錦明印刷株式会社
製本所：錦明印刷株式会社

〒102-0073
東京都千代田区九段北1-14-17
tel. 03-3263-4318
fax.03-3263-5297

http://www.graphicsha.co.jp

振替 00130-6-114345
乱丁・落丁本はお取り替え致します。
本書の収録内容の一切について無断転載、無断複写、無断引用を禁じます。

＜型紙の著作権保護に関する注意事項＞
本書に掲載されている型紙は、お買い求め頂いたみなさまに個人で作って楽しんで頂くためのものです。著作者の権利は、著作権法及び国際法により、保護されています。個人、企業を問わず、本書に掲載されている型紙を使用、もしくは流用したと認められるものについての無断での商業利用は、インターネット、人形イベント等での販売をはじめ、いかなる場合でも禁じます。違反された場合は、法的手段を取らせていただきます。

ISBN978-4-7661-2101-8 Printed in Japan

Odeco&Nikki ™ ©PetWORKs Co.,Ltd. deconiki.jp